Nooit meer naar huis

Mijn ontsnapping uit de Hollandsche Schouwburg

John Blom

Nooit meer naar huis

Mijn ontsnapping uit de Hollandsche Schouwburg

uitgeverij
Verbum

Laren (NH), 2008

Dit boek is tot stand gekomen mede dankzij een financiële bijdrage van

Stichting Holocaust Herdenking

Meer over Stichting Holocaust Herdenking:
www.holocaustherdenking.nl
info@holocaustherdenking.nl

© Uitgeverij Verbum, Laren (NH) 2008
Foto omslag © John Blom
Ontwerp omslag Quasi Grafische Producties (www.quasigrafisch.nl)
Typografie en vormgeving Mirjam Roest, Quasi Grafische Producties, Bilthoven
Druk Koninklijke Wöhrmann, Zutphen

ISBN 978-90-74274-13-5
NUR 680

Meer informatie over Verbum Holocaust Bibliotheek:
www.verbum.nl
info@verbum.nl

'Weet je, al die herinneringen, ook die aan de oorlog, zijn voor mij heel erg kostbaar, maar ik zou willen dat ik macht over ze had, niet zij over mij...
Ik weet nu dat de oorlog een misdaad is, een absolute misdaad, de allerergste! Hij draagt alle andere misdaden in zich, alle, alle...'

Heinrich Böll, *Brieven uit de oorlog 1939-1945, p. 316*

War Child

War Child's belangrijkste doel is een vreedzame toekomst voor oorlogskinderen. Volgens War Child is een gezond psychosociaal welzijn van kinderen een vereiste voor een vreedzame samenleving.
Kinderen die opgroeien in een veilige, stabiele omgeving waar hun rechten niet worden geschonden, krijgen immers een grotere kans zich te ontwikkelen tot evenwichtige volwassenen dan kinderen uit (voormalige) oorlogsgebieden. Hoe meer kinderen opgroeien tot evenwichtige volwassenen, hoe groter de kans dat de samenleving waarin zij leven later ook vreedzaam zal zijn.
War Child helpt kinderen die slachtoffer zijn van gewapende conflicten. Door te investeren in hun psychosociaal welzijn legt War Child de basis voor een vreedzame toekomst.

www.warchild.nl

voor Els, de kinderen en kleinkinderen

Inhoud

Inleiding

Mijn verhaal heb ik in de eerste plaats geschreven om de vele herinneringen uit de oorlog en de nasleep daarvan te ordenen. Dat was mijn belangrijkste motief: het verhaal over mijn oorlogsverleden en zijn nawerking inzichtelijk te maken voor mijn kinderen en kleinkinderen. Vandaar dat ik het boek mede aan hen opdraag. Verder is het geschreven voor een ieder die wil weten hoe vervolging kan uitwerken in een individueel mensenleven en hoe de nasleep daarvan kan doorwerken in het leven van betrokkene en zijn naaste omgeving.

In deel I beschrijf ik mijn ervaringen als kind uit een Joods gezin. Ik vertel ze vanuit mijn perspectief. Daardoor blijft de rol van de mensen uit het verzet onderbelicht. Ik ben me er echter heel goed van bewust dat het verhaal door mij verteld kan worden doordat er mensen waren die met gevaar voor eigen leven mij hebben geholpen, nog afgezien van het onheil en leed dat hun naasten konden treffen. Ik denk aan Hanna van de Voort uit Tienray, Nico Dohmen uit Nijmegen, Arie (schuilnaam) die me begeleidde tijdens een risicovolle treinreis en de vele anonieme betrokkenen die hun rol speelden bij mijn illegale reizen van het ene naar het andere onderduikadres. Ik denk ook aan degenen die zorgden voor de benodigde distributiebescheiden en uiteraard ook aan mijn verschillende onderduikouders.

Het eerste hoofdstuk begint op 10 mei 1940 en gaat over de oorlogsjaren toen ik nog thuis woonde.

In het tweede hoofdstuk, dat op 24 juni 1943 begint, beschrijf ik mijn onderduikervaringen.

Ik geef deel I de titel: 'Overleven in een zieke wereld'. Mijn wereld werd in die oorlogsdagen overheerst door fascistische ideeën en gedragingen, vooral die van de overheid. Kenmerkend voor het fascisme noem ik de gedachte dat de staat, de natie, overheersend is en altijd belangrijker dan een mensenleven. Tevens dat het individu in het perfide stelsel uiteindelijk altijd voor een existentiële keuze wordt geplaatst tussen zichzelf en de ander. Of hijzelf gaat eraan of hij laat de ander omkomen.

Ik verwijs hierbij naar werken van o.a. Abel J. Herzberg, Etty Hillesum, Primo Levi, Yeshayahu Leibowitz en Vercors.

In deel II beschrijf ik de periode tussen mijn bevrijding in Brabant medio oktober 1944 en het moment waarop ik definitief naar Amsterdam terugkeerde. Ik vertel over mijn leven, het reilen en zeilen van alledag en de indrukken die het geallieerde militaire bedrijf op mij maakte.

In deel III gaat het over mijn leven na de oorlog vanaf september 1945 tot medio 2007, over de mensen die ik verloren heb, mijn Joodse identiteit; de balans van mijn leven.

Op het moment waarop ik deze regels schrijf ben ik ruim 61 jaar in de tijd verwijderd van de oorlogsgebeurtenissen. In die periode werd ik een gediplomeerd maatschappelijk werker met kinderbescherming en sociaal-cultureel opbouwwerk als specialisaties, behaalde ik mijn doctoraal examen in de sociale psychologie aan de Universiteit van Amsterdam en postdoctoraal mijn bevoegdheid voor het beroep van psychotherapeut. In alle beroepen heb ik met plezier en betrokkenheid gewerkt.

Ik ben bijna 47 jaar getrouwd met Els en heb twee volwassen zoons van 42 en 40 jaar, die ieder met grote inzet en verantwoordelijkheid hun leven leiden samen met vrouw en kinderen. We bewonen een eigen woning in een bosrijke omgeving op de rand van de Randstad, hebben dierbare vrienden, lezen veel, bezoeken musea en trekken er geregeld enkele dagen tot weken op uit. Kortom, hier schrijft een maatschappelijk geslaagde, 'brave' burger, geliefd en geacht. Niets aan de hand dus, zo lijkt het. Maar waar is dan die oorlog met zijn vervolging gebleven in mijn leven?
Op die vraag poogt dit boek een antwoord te geven.

Deel I

Overleven in een zieke wereld

1. 10 mei 1940 tot 24 juni 1943:
Een wankel thuis

Op vrijdag 10 mei 1940 was ik 9 jaar en 195 dagen oud. Toen ik na het aankleden beneden kwam werd me verteld dat ik die dag niet naar school hoefde, want de oorlog was uitgebroken. Het Duitse leger was Nederland binnengetrokken en op Schiphol waren bommen gevallen.

Het klonk alarmerend en de aanvankelijke vreugde niet naar school te hoeven verdween snel. De radio stond, anders dan normaal, continu aan. Er waren veel nieuwsbulletins waarin telkens opnieuw werd opgeroepen tot waakzaamheid. Het versterkte de toch al bedrukte stemming in huis. De banketbakkerij en de winkel, bronnen van veel leven en dynamiek in huis, lagen nagenoeg stil.

Mijn ouders hadden in de Rijnstraat 58 een bloeiende luxe banketbakkerij annex chocolaterie, Maison Blom, bekend van de orgeade- en gemberbolussen. Het bedrijf lag dichtbij de hoek van de galerij die de Vrijheidslaan (toen Amstellaan) via het Victorieplein (Daniël Willinkplein) verbond met de Churchilllaan (Noorderamstellaan). Al voor 1930, het jaar van mijn geboorte, vestigden mijn ouders zich in de buurt die, als Plan Zuid of Plan Berlage, volop in aanbouw was. Mijn broer Gerrie was bijna 8 jaar ouder dan ik, mijn grote broer. Onze levenssfeer liep door het leeftijdsverschil uiteraard sterk uiteen. Hij was mijn grote voorbeeld.

Voor onze deur was een halte van tramlijn 4. Ik had voor onze woning de beschikking over een breed trottoir om buiten te spelen. Na de crèche op de tiende verdieping van de Wolkenkrabber bij mevrouw Bienfaît ging ik naar de fröbelschool op het Victorieplein. Het was een school met mooie ruimten en een ronde glazen tuinzaal. Daarna volgde de Michel de Klerkschool, een openbare lagere school in de Jekerstraat.

In de buurt van thuis had ik twee vaste vriendjes, die naar andere scholen gingen: Robbie van de apotheek in het pand naast ons en

Sjorsie die vier hoog boven de galerij woonde. Nog een trap hoger bij hem kwam je op het platte dak, dat voor ons verboden gebied was. Maar we konden het natuurlijk niet laten en genoten soms van het uitzicht op de stad en de straat beneden ons. Er was wel een behoorlijke borstwering op het dak.

Vader en moeder werkten hard om van hun bedrijf een solide en kwalitatief hoogstaande zaak te maken. Zij waren succesvol en hun clientèle kwam uit de hele stad, die toen nog niet de grote buitenwijken had. Gerrie volgde de middelbare school en ging daarna in het diamantvak werken bij een zagerij van de firma May op de Ceintuurbaan. Eigenaar van het bedrijf was de in Antwerpen wonende broer van mijn moeder oom Nehemias May, die zich echter Karel liet noemen.

In mijn eerste tien levensjaren gebeurde er veel in de wereld. De economische crisis die met de beurskrach in 1929 in New York begon en wereldwijd, ook in Amsterdam veel werkloosheid, armoede en leed bracht, zoals het steunoproer in de Jordaan in 1934. Materieel gesproken ging die crisis aan ons gezin voorbij.

In Duitsland was er de opkomst van Hitler, die er zijn op het fascisme geïnspireerde, nationaal-socialistische dictatuur vestigde met zijn abjecte antisemitisme. In Nederland kreeg die gedachtewereld vaste vorm door de oprichting van de NSB, die een strakke orde onder een sterk absoluut leiderschap propageerde. Ook maakte men in ons land kennis met de trieste problematiek van Joodse asielzoekers uit Duitsland, de komst van Duitse Joodse dienstmeisjes, enz. Ook bij ons werkte gedurende enige tijd een 'Duits dienstmeisje', een oudere vrouw, somber, teruggetrokken en lijdzaam. Zij maakte op mij een indruk van verlatenheid en dat vond ik naar. Verder gingen de gebeurtenissen in de wereld der volwassenen aan mij voorbij.

Kenmerkend voor het opvoedingsklimaat thuis was dat er een zeer grote afstand tussen kind en volwassene in acht werd genomen. Als kind moest je goed je plaats weten en onvoorwaardelijk gehoorzamen aan de volwassenen. Zo werd er een eigen kinderwereld geschapen naast de wereld van de 'grote mensen'. Behalve één radio in de huiskamer waren er kranten die het gezin met de grote wereld verbonden. Zakgeld bestond niet, hoogstens een snoepcentje om zwart-op-wit te kopen.

Een aspect van een dergelijk opvoedingsklimaat is dat je als kind onwetend werd gehouden. Je leerde niets over de politiek, over de maatschappij, over het volwassen worden, over seksualiteit. Je leerde je fatsoenlijk te gedragen en je aan te passen en volgzaam te zijn. Eigenlijk was het op school niet anders. Je leerde taal, rekenen, waar Roodeschool lag, dat er in Afrika en in Nederlands-Indië zwartjes en wilden woonden aan wie nog beschaving moest worden bijgebracht. En ook op school moest je gehoorzamen.

Thuis werden veel boeken gelezen en ook ik was al tijdens mijn lagereschooltijd een verwoed lezer. Er werd naar klassieke muziek geluisterd, vooral naar de zondagmiddagconcerten van het Concertgebouworkest o.l.v. Willem Mengelberg. Soms erg saai, soms ontroerend mooi.

Moeder trok zich het sombere wereldgebeuren met zijn oorlogen en oorlogsdreiging sterk aan. Zij werd in toenemende mate bedlegerig, steeds vaker afwezig bij de dagelijkse gang van zaken in het bedrijf en het huishouden en in de loop van 1942 raakte ze helemaal aan haar bed gekluisterd.

Ons gezin had een Joodse achtergrond: zowel moeder als vader had Joodse ouders, maar ze waren niet godsdienstig. Er waren wel enkele Joodse traditionele elementen aanwezig in de woning, zoals een mezoeza bij de winkel- en huiskamerdeur en op vrijdagavond werd er kippensoep en kip gegeten. Gerrie en ik zijn besneden, zoals andere kinderen uit traditie worden gedoopt. Eenmaal per jaar ging mijn vader op Grote Verzoendag, als enige van het gezin, naar de synagoge in de Lekstraat.

Als op school klasgenootjes eens in de veertien dagen aan het eind van de middag facultatief een uurtje les kregen van de pastoor of de dominee, vertrok ik naar de overkant van het plein, naar mevrouw Weiss. Mevrouw Weiss was een Joodse Russin, die mij de eerste beginselen van de Hebreeuwse taal bijbracht en spannende verhalen vertelde uit het Oude Testament. Maar godsdienst leefde niet in ons gezin en speelde in mijn kinderwereld geen enkele rol. Dat veranderde in de loop van 1940 toen onze zaak Onder Rabbinaal Toezicht

(O.R.T.) kwam te staan en er een rabbinaal opzichter, de sjoumer, in de bakkerij ging meewerken om erop toe te zien dat de spijswetten correct werden nageleefd. Voor mij bleef dit allemaal buitenkant. Had iemand me op vrijdag de 10^e mei 1940 gevraagd of ik een Joods kind was, dan had ik hem voor het antwoord naar mijn ouders moeten verwijzen.

Op die 10^e mei en de dagen erna heerste er, zoals gezegd, een bedrukte, soms wat sinistere sfeer. Er waren onzichtbare en ongrijpbare bedreigingen, versterkt door het gesloten zijn van school, soms een luchtalarm, een eenzame soldaat op een open vrachtwagentje met een geweer in de aanslag en vooral door de enorme, zelfs in onze straat waarneembare rookwolken van de in brand gestoken olietanks in de petroleumhaven aan het IJ. We hoorden dat er enkele doden waren gevallen bij de inslag van een projectiel op de Blauwburgwal. En verder was er de grafstem van de nieuwslezer op de radio. Toen het koningshuis en de regering naar Londen gevlucht bleken, daalde de stemming verder en nam de angst bij de volwassenen toe.

Ik nam alles waar, maar met mij werd over de gebeurtenissen geen woord gewisseld.

Na het bombardement van Rotterdam op dinsdag 14 mei en de Duitse dreiging met een bombardement op Utrecht capituleerde het Nederlandse leger bij monde van generaal Winkelman. Zijn oproep in de trant van 'Blijf rustig en houdt U aan de richtlijnen, blijf de radio volgen' werd telkens herhaald.

Kort na de capitulatie, al meteen de woensdag of donderdag daarna, vond via de Berlagebrug en de Amstellaan/Vrijheidslaan de intocht van het Duitse leger plaats richting Noorderamstellaan/ Churchilllaan. Ik stond met mijn neus vooraan op de stoep en vond het allemaal even indrukwekkend. De grote militaire voertuigen en de motorsoldaten die langs ons scheerden deden me huiveren van opwinding. Het was allemaal ongekend. Hier gebeurde wat! Soms scandeerden groepjes toeschouwers 'Houzee', op een ander moment ging er bij anderen gejuich op als er tussen de voertuigen van het konvooi een wagen met Nederlandse krijgsgevangenen voorbijreed.

Ik stond tussen een groepje toeschouwers die nu en dan luid hun 'Houzee' uitschreeuwden. Op een gegeven moment ging ik meedoen met het Houzeegeroep, want kennelijk hoorde dat erbij. Maar mijn deelname aan het enthousiast verwelkomen van 'onze bevrijders' duurde niet lang, want ik werd door een briesende vader naar huis gesleurd. 'Als ik je dat nog één keer zie doen, dan breek ik je je armen.' Wij als Joden hoorden ons verre van Duitse manifestaties te houden. Dit gegeven was helemaal nieuw voor me en voor het eerst drong het mijn kinderwereld binnen. Al begreep ik niet precies waarom, duidelijk was wel dat ik voortaan moest oppassen voor alles wat Duits was of een NSB-signatuur droeg. In de loop van de komende jaren zou ik ervaren dat mijn vader volkomen gelijk had. Door de oorlog en de situaties waarin je, ook als schoolkind, geplaatst werd, vervaagde het verschil tussen kind en volwassene. We werden eerder lotgenoten in een zich geleidelijk ontvouwend drama dat in een regelrechte ramp zou eindigen.

Maar over de eerste bezettingsmaanden van 1940 bewaar ik verder geen nare herinneringen. De bezettingsmacht voerde een gematigd regiem en wat er in die maanden aan maatregelen tegen Joodse ambtenaren, musici en hoogleraren werden getroffen ging aan mij voorbij. Er heerste zelfs een wat opgewekte stemming van opluchting.

Tijdens de grote vakantie in augustus 1940 logeerde ik traditiegetrouw bij familie in Zandvoort. Mijn nichtje en ik, leeftijdgenootjes, gingen vaak samen naar het strand en de boulevard. Aan de boulevard werden SS-rekruten getraind. Dat ging er niet bepaald zachtzinnig aan toe. De rekruten moesten binnen enkele seconden onder het prikkeldraad van de afscheiding tussen duinrand en boulevard door kruipen. Bleef een rekruut haken of was hij te traag, dan werd hij geschopt door zijn instructeur. Het was voor ons een spectaculaire bezienswaardigheid waar we vaak naar gingen kijken. Af en toe mochten de rekruten pauzeren en ik herinner me de keer dat we met een rijtje kinderen hen stonden aan te gapen. Een van de soldaten keek ons wat belangstellend aan en met een priemende vinger wees hij naar mijn buurman: 'Sehe mal, ein Jude.' Hij trok daarbij een gezicht alsof hij stront rook. Sinds enkele maanden wetend dat ook ik 'ein Jude' was vertrok ik met hangende pootjes van de boulevard. Ik kwam er nog één keer, om naar de militaire kapel te luisteren die magnifiek marsmuziek speelde. Ook thuis zocht ik op de radio vaak die muziek op. Ik droomde erbij weg. Net zoals ik in de vroege avond in de tuin op de transportfiets wegdroomde dat ik in een soort pantserauto dwars door het land reed, nergens door hindernissen tegengehouden.

Daar staat tegenover mijn herinnering aan de incidentele provocerende marsen van de WA, de Weerbaarheidsafdeling van de NSB, midden over de rijweg en de tramrails van de Rijnstraat, die ik erg intimiderend en eng vond.

In februari 1941 werd het optimistische idee dat het allemaal misschien toch wel zou meevallen abrupt de kop ingedrukt. In de Van Woustraat werd IJssalon Koco met zijn twee Duits-Joodse eigenaren door WA'ers gemolesteerd. Er vielen ook WA-gewonden. Als represaille werden op 22 en 23 februari 425 Joodse 'gijzelaars' opgepakt. Een van hen was Bubi (Martin) van Rooyen, 19 jaar en boezemvriend van Gerrie.

Onder meer als reactie op de molestatie van Joden en uit irritatie over het provocerende optreden van de WA brak op dinsdag 25 februari 1941 de Februaristaking uit, die een dag later met geweld werd onderdrukt.

Vlakbij ons is de Lekstraat met de grote remise van het Gemeentevervoerbedrijf. We woonden boven de winkel en hadden onze huiskamer aan de straatkant. Voor de ramen hing dunne, goed doorzichtige vitrage. Ik zat op die bewuste woensdag gekluisterd aan het raam. Er probeerde een tram uit te rijden. Hij kwam tot aan de hoek van de Rijnstraat, schuin tegenover ons, en werd toen gestopt door een groep mensen die op de rails ging staan. Het duurde niet lang voor er een aantal overvalwagens van de *Ordnungspolizei*, de z.g. *Grüne Polizei*, kwam aanrijden. De auto's remden met veel kabaal, waarna de agenten uitzwermden en onder bedreiging met geweren en met slaan en schoppen de menigte van de tramrails verdreven. De gezichten stonden grimmig en streng, ontoegankelijk, niets ontziend. Niemand kon tegen dit geweld op en voor menigeen was dit de eerste kennismaking met het ware gezicht van de bezetters. Voor mij in ieder geval wel. Ik heb me bij het zien van dit gewelddadige incident niet alleen angstig gevoeld, maar ook alleen, eenzaam, onbeschut en verloren. Voor mij waren de oorlog en de bezetting tastbaar geworden.

Thuis was er veel verdriet over Bubi, die naar Mauthausen werd gedeporteerd en daar op 17 september 1941 op 20-jarige leeftijd in de steengroeven bezweek onder het onmenselijke regiem. Het officiële bericht van zijn sterven spreekt over dood door een ongeval te wijten aan eigen onvoorzichtigheid.

Februari 1941 was een voorproefje van wat ging komen. In het verdere jaar werd de ene na de andere maatregel afgekondigd die ertoe leidde dat de Joden een geïsoleerde bevolkingsgroep werden, geconcentreerd in de oude Jodenbuurt rond het Waterlooplein, de Transvaalbuurt, Watergraafsmeer en de Rivierenbuurt. Het werden echter geen getto's omdat in die buurten ook veel niet-Joodse mensen woonden. De Joden moesten zich als alle andere Nederlanders laten registreren, maar kregen een J in hun persoonsbewijs gestempeld. Kinderen beneden de 14 jaar waren van dit document vrijgesteld. Een persoonsbewijs werd een verplicht legitimatiedocument. De Joodse Raad, met een Joods bestuur en Joods personeel, werd ingesteld om, zoals de vervolgers beweerden, een humane behandeling van de Joden te kunnen garanderen. Een lid of medewerker van de Joodse Raad kreeg in zijn persoonsbewijs een *Sperrstempel* die enige immuniteit voor de maatregelen van de bezetter schonk. Later hoopte men zich ermee te kunnen vrijwaren van deportatie. Zo werd die Raad een instituut waar iedere Joodse volwassene bij wilde horen.

Joden mochten niet meer in parken komen, mochten niet meer in bepaalde straten komen, niet meer naar het zwembad, niet in cafés, bioscoop of schouwburg, niet meer in niet-Joodse winkels kopen, niet meer met niet-Joden trouwen; ze mochten alleen door Joodse hulpverleners worden geholpen, ze mochten geen gebruik meer maken van het openbaar vervoer, moesten hun fietsen inleveren, moesten voor acht uur 's avonds thuis zijn, enz. enz.

Het feit dat ik mijn fiets moest afstaan was ingrijpend; ik had hem nog niet zo lang en de fiets gaf me een enorme vrijheid om door de stad te zwerven. We stonden de fiets af aan mijn buurvriendje Sjorsie. De radio ging naar de Duitsers, d.w.z. een wrak, want mijn vader gaf zijn goede toestel weg aan niet-Joodse vrienden.

In september 1941 trof mij het verbod naar mijn oude openbare school terug te keren. Dat was ingrijpend. Ik en met mij alle Joodse kinderen moesten nadere berichten afwachten. Dit schiep scheve verhoudingen met mijn niet-Joodse schoolvriendjes. Eind september kwam het bericht dat ik weliswaar naar mijn oude schoolgebouw in de Jekerstraat mocht terugkeren, maar dat de school alleen nog maar bestemd was voor Joodse kinderen. Het was een volledige school met zes klassen, de vereiste onderwijsvoorzieningen en een onderwijzersgroep, waarvan de leden uiteraard ook uit een Joods milieu afkomstig waren. Ik kwam in de vierde klas bij meester Pinto, die pas een jaar getrouwd was en de trotse vader van een mooie baby, die we hebben mogen bewonderen.

Vanaf 15 april 1942 moesten Joden een gele ster dragen. Die moest je op bepaalde afhaalpunten van de Joodse Raad kopen. Thuis heerste opwinding over het opnaaien van de ster. Het lapje stof had een stippellijn en langs de rand van die lijn moest de stof netjes naar binnen gevouwen op je jas, bloes of jurk worden genaaid, goed zichtbaar aan de linkerkant op borsthoogte.

Een ster had je 'op'. We vroegen ons af of ik hem ook binnen school moest dragen. En zo stapte ik de ochtend van 15 april 1942 met de ster op naar buiten, de voordeur uit, op weg naar school. Het was die eerste keer een surrealistische ervaring. Ik had het gevoel dat ik in de publieke ruimte van de straat helemaal doorzichtig was geworden. Er bestond die eerste keer geen grens meer tussen mijn binnen- en buitenwereld. Dat kleine lapje stof, dat stigma, legde me helemaal open, grijpbaar voor iedereen.

Op weg naar school en verder ook die dag ondervond ik echter veel sympathieke reacties van voorbijgangers. Verschillende mensen knikten me vriendelijk toe, reageerden mild. Ik vatte het op als een teken dat ik er nog steeds bij hoorde. Ik was nog iemand.

Na een paar dagen waren de gele sterren al weer 'gewoon' geworden in het straatbeeld. Voor ons werd het dragen van de ster routine. Het was de zoveelste maatregel van de Duitsers om ons te isoleren van de rest van de bevolking en de ster was daarbij zeer effectief. Zoals zo veel anderen voelden we ons machteloos. Maar een kleine groep Nederlanders, inclusief Joodse burgers, bleef niet passief toezien. Degenen die toen hun nek uitstaken vormden de kern van wat later 'het verzet' zou gaan heten. Op die ochtend zei mij dat echter nog niets.

Ik was lid van de Joodse turnclub BATO in de Tweede Boerhaavestraat. Daar kreeg ik les van Max Werkendam, toen kampioen turnen in Amsterdam. Het was fenomenaal hem bezig te zien aan het 'zwevend rek'. Op een dag liepen Sjakie en ik in een straatje bij het Rhijnspoorplein druk orerend van de club naar huis toen we door een agent van de *Grüne Polizei* stevig werden uitgescholden. 'Judenschweine, verdammte Schweine', brulde hij. Ik was perplex, voelde me overrompeld en begreep toen wat het betekent als iemand het van angst in zijn broek doet. We waren een straatje ingelopen dat 'voor Joden Verboden' was en hadden het bekende gele bordje gemist. In die straat waren de garages van de *Ordnungspolizei*. De agent sleepte ons aan onze oren naar het begin van de straat, liet het bordje hardhandig zien en liet ons toen gaan. Voor mij betekende dit voorval mijn laatste bezoek aan de turnclub.

Desondanks ging het leven in het voorjaar van 1942 gewoon door. Uiteraard bleef de angst voor het ongewone en het onbestemde, want in datzelfde voorjaar van 1942 ging het gerucht dat er Joden zouden worden opgehaald en getransporteerd naar werkkampen in Polen. Ik hoor mijn vader nog tegen onze buurman zeggen: 'Mesjogge, ze hebben nu al te weinig transportmiddelen en auto's voor het leger, laat staan dat ze materiaal hebben om ons te kunnen verplaatsen.'

In alle toonaarden gaf hij te kennen dat van 'verplaatsen' – het woord 'deportatie' werd nog niet gebruikt – geen sprake zou kunnen zijn. 'Nee, het is een kwestie van volhouden, ze zullen de oorlog niet winnen.' De buurman kon hem geen ongelijk geven. In die periode werd deze mening telkens weer herhaald. Men kon zich het feit van deportatie, laat staan van vergassing eenvoudigweg niet voorstellen. Ze lagen buiten de eeuwenlange ervaringen van Joden in Nederland.

Het op isolement gerichte beleid kende bizarre kanten. Op een gegeven dag in het voorjaar van 1942 mochten we op voorspraak van de sportclub Maccabi met onze klas voor één keer gaan zwemmen in het Sportfondsenbad achter de Linnaeusstraat. Om 2 uur verzamelen bij de ingang. Er moest gewacht worden, want het zwembad moest eerst door alle niet-Joden, de Ariërs volgens Duits jargon, verlaten worden. Toen het eenmaal zover was werden we naar de kolenopslagplaats gedirigeerd. Het zwembad en water werden nog met kolenenergie verwarmd. Die ingang was groot omdat er grote kolenwagens doorheen moesten kunnen. Er lag overal gruis. Ten slotte mochten we door een dienstgang het uitgestorven zwembad betreden met onze Joodse begeleiders als enig personeel. Natuurlijk klonk de gebruikelijke herrie, maar het verder totaal lege zwembad drukte de stemming wel. Het was een onwerkelijke situatie. Ik denk dat het personeel na onze aftocht uit het zwembad een zware dobber heeft gehad aan het schoonmaken van de tegels en de bassins, want het kolengruis ging zelfs met ons mee naar huis. Het zwemmen bleef bij die ene keer.

Op 26 juni 1942 begonnen de deportaties. Dat werk werd gedaan door 'de Zwarte Politie'. Dit was een door de Duitsers ingesteld apart Nederlands politiebataljon van jonge vrijwilligers uit alle delen van het land. De aspirant-agenten kregen hun opleiding in Schalkhaar, een plaatsje in de buurt van Deventer. Hun gelederen telden niet de beschaafdste leden van ons volk. Wij noemden hen de Zwarte Politie, naar de kleur van hun uniform en helmen. Na de oorlog vernam ik dat het bataljon niet de gelegenheid had gekregen de politieopleiding te voltooien, want de bezetter kreeg haast. De agenten werden gelegerd in een school op de hoek van de Ferdinand Bolstraat en de Van Hilligaertstraat.

Het was de taak van de Zwarte Politie om aan de hand van een lijst met namen en adressen Joden uit hun huis te halen en lopend naar een nabijgelegen verzamelpunt te brengen. Van de Joden die zich hadden laten registreren waren de adressen bekend. Zij die dat niet hadden gedaan vielen buiten het systeem. Op die manier is één van mijn familieleden aan deportatie ontkomen. Ze heeft kunnen onderduiken in haar eigen huis, geholpen door welwillende buren en vrienden, die voor de distributiebescheiden en de boodschappen zorgden.

De Zwarte Politie deed haar werk altijd op een doordeweekse avond tussen 8 en 10 uur. Joden moesten uiterlijk acht uur thuis zijn. Het ophalen gebeurde niet op vaste avonden. Je moest iedere dag maar afwachten. De agenten opereerden in tweetallen en waren bewapend met geweren. Zij namen deel aan 'de oorlog achter de fronten', *de innere Krieg*.

Het leek een waanvoorstelling. Zwaarbewapende, geüniformeerde, gehelmde jonge en sterke mannen haalden volstrekt weerloze mensen uit hun huis: kinderen, oude mensen, stokoude mensen, vrijgezellen, moeders, vaders, jongelui, baby's. Ik was getuige van het schrijnende gebeuren met mevrouw Stibbe. Zij was de grootmoeder van mijn buurvriendje Robbie. Na het overlijden van haar man woonde zij bij haar dochter in. Zij was erg oud, gekrompen, gebogen. Omdat zij de Engelse nationaliteit had, kreeg zij een 'speciale behandeling'. Er kwam voor haar alleen een vrachtauto met open laadbak met wel vijf Duitse agenten of soldaten, misschien leden van de *Sicherheitsdienst*. Twee van hen gingen naar binnen om haar te halen. De anderen rookten hun sigaretje en hadden lol. Mevrouw Stibbe werd, neem ik aan, gesommeerd de laadbak op te klauteren en daar was zij natuurlijk niet toe in staat. Ze kreeg een zetje en toen reden de heren weg. De jongens keken niet naar haar om. Hoe zal ze op de plaats van bestemming zijn aangekomen?

De uit hun huis gehaalde mensen moesten sjouwen met de bagage die een voorgeschreven inhoud had in verband met een hun in het vooruitzicht gestelde reis. Men liep, sommigen met een baby op de ene arm, een koffer aan de andere, naar het verzamelpunt. In onze buurt was dat het Victorieplein op de stoep voor de Wolkenkrabber. Daar stond een wagen van de *Grüne Polizei* te wachten. Een vrachtwagen met open laadbak, ruwhouten banken achter elkaar en overspannen met een zeildoek. Men werd in de laadbak geholpen en als de auto vol zat reed die weg om plaats te maken voor de volgende. De opgehaalde Joden werden, via een registratie op het Adama van Scheltemaplein, vervoerd naar de Hollandsche Schouwburg of rechtstreeks naar het Centraal Station voor de reis naar Westerbork. Van daar vertrok iedere dinsdagavond een volle trein, meestal bestaande uit veewagens, naar de vernietigingskampen.

Over Auschwitz of Sobibor wist ik in die dagen nog niets, maar ik besefte wel dat mijn leven op het spel zou staan als ik eenmaal opgehaald was. Ik verwachtte niet zozeer moord en vergassing, maar ik kon me niet voorstellen dat ik grote ontberingen en erge kou zou kunnen doorstaan.

Vanaf juni 1942 zaten we dus iedere avond als 'ze' weer uittrokken achter de vitrage gekluisterd, ik tot ik naar bed moest. En iedere avond als de Zwarte Politie weer uitzwermde, kon je de met spijkers beslagen zolen van de schoenen horen kletsen op de stoeptegels of klinkers van de weg. En iedere keer als in de buurt van onze voordeur de pas ingehouden werd, hield je de adem in, verstarde je – zouden ze bellen? En als de voetstappen dan weer verder gingen en zich verwijderden, haalde je verlicht adem. Tot ik ze niet meer hoorde, vroeg ik me af waar ik de komende nacht zou zijn.

En iedere keer als het werk van de Zwarte Politie erop zat, was ik opgelucht dat ze anderen en niet ons hadden meegenomen. Diep van binnen voelde ik wel dat het niet helemaal klopte, maar dat werd overstemd door de opluchting thuis te kunnen blijven. In een oorlog maakt iedereen vuile handen, ook een kind.

Vanuit de beklemmende sfeer en de druk van de dagelijkse vervolging kwam ik 's ochtends in de klas van meester Pinto. In die beroerde, angstige, uitermate drukkende tijd, werd de school voor ons een plek waar wij ons nog veilig konden voelen, waar we ons konden ontspannen en nog in harmonie met elkaar konden omgaan, ook met de volwassenen, met wie de afstand veel kleiner was geworden dan we gewend waren. Terugblikkend kan ik zonder overdrijving stellen dat we op school op een eilandje van intensief wederzijds respect en liefde leefden. We hadden op school als het ware vrijaf van de oorlog. Het schoolse leren werd daaraan helemaal ondergeschikt gemaakt. Er werd veel voorgelezen en geknutseld en we werkten vol overgave aan een revue die we in de gymnastiekzaal zouden opvoeren.

Dat ik me op school en in onze klas zo goed kon voelen en dat ik – misschien de enige overlevende van de klas – dat nog altijd zo sterk als een lichtpunt ervaar, zie ik als de volle verdienste van meester Pinto. Hij was degene die ons kinderen warmte en een gevoel van veiligheid gaf. Nu achteraf met volwassen ogen naar hem kijkend beschouw ik hem als een held. Een held evenwel die, met zijn gezin, als een van de vele vergaste Nederlanders in de vergetelheid is geraakt. Ik ben blij dat ik hier zijn bestaan kan memoreren; hij was mentaal zeer sterk en een goed mens.

Bovenstaande neemt echter niet weg dat na juni 1942 ook op school de vervolging zich deed gelden. Geleidelijk aan, sluipenderwijs haast, werd onze klas steeds kleiner. Vriendjes en vriendinnetjes verdwenen van de ene dag op de andere: eerst Sara, toen Loekie, toen Hans, toen Greetje, toen Bora, en vele anderen. En dit overkwam uiteraard alle klassen. Meester Pinto stond nu en dan stil bij het verdriet over het wegvallen van een vriendje of vriendinnetje. Begin 1943 werden de klassen vier, vijf en zes samengevoegd en het proces van uitdunnen ging onverminderd door. Toen ik in juni 1943 zelf aan de beurt was, was er van de hele school nog maar weinig over.

Op een avond in september 1942 was het me gelukt het naar bed gaan te rekken, maar uiteindelijk lag ik er dan toch in; het was al bijna donker buiten. Nog een paar weekjes en ik zou mijn twaalfde verjaardag vieren, een heerlijk vooruitzicht. Moeder had me een kommetje met druiven meegegeven, van die mooie grote blauwe druiven, zoet en sappig. Iets om zuinig mee te zijn, dus telkens heel langzaam een druif in je mond laten knappen, lang sabbelen, velletje helemaal afkluiven. Ondertussen fantaseerde ik dat ik in de eenpersoonscockpit van mijn kleine jachtvliegtuig zat en hoog boven de stad vloog, veilig, warm, onaantastbaar, het kommetje druiven naast mijn bed. Ik moet ingeslapen zijn. Ik werd een beetje wakker van een harde bel en was even later klaarwakker van harde stemmen. Twee mannen van de Zwarte Politie kwamen de trap op. Ze kwamen ons gezin ophalen voor deportatie.

Moeder was ziek, zij lag al maanden in bed en kon nauwelijks lopen. Gerrie, inmiddels 20 jaar, sliep al weken niet meer thuis en was dus afwezig. De stem van vader klonk heel nadrukkelijk en stellig: 'Ik ga niet mee, ik prakkiseer daar niet over, ik ga niet mee, want ik laat mijn vrouw, die niet lopen kan, niet alleen.'

'Ja maar, meneer, u móet met zijn allen mee, wij hebben ook onze orders.'

'Kan wel zijn, maar ik laat mijn vrouw niet alleen en zij kan niet mee, dus ik ga niet mee.'

De agent: 'Dan moet de kleine jongen alleen mee.'

Vader: 'Dan neemt u de kleine jongen maar mee, maar ik ga niet mee.'

De deur van mijn kamertje ging open. Ik moest me aankleden en mee. Vader liep wezenloos rond. Hij had zijn hand overspeeld in een onmogelijk dilemma waarin fascisten een mens weten te plaatsen. Toen moeder hoorde dat ze mij mee zouden nemen, ging ze volslagen door het lint. Krijsen, schreeuwen, machteloos op haar bed. Dokter Van der D., onze huisarts, werd ontboden en kwam snel. De agent stond op de overloop en liet de herrie en ontsteltenis voor wat ze waren. Moeder kreeg een kalmerende injectie, kwam tot rust en de dokter en ik pakten het voor de 'ophaal' bestemde koffertje in. Ik weet niet meer of ik van vader en moeder afscheid nam. Ik weet wel hoe ik samen met de agent de deur uitstapte.

Het was stil op straat. Er was geen verkeer, maar wel starend publiek aan het begin van de Amstellaan (Vrijheidslaan). De agent nam de route vanaf onze woning in de Rijnstraat naar de Wolkenkrabber op het Daniël Willinkplein (Victorieplein) via de tramrails. Daar liep ik dus midden op de rijweg met een gehelmde, gewapende agent naast me. Hij droeg een grote, brede, zwarte koppelriem over zijn zwarte tuniek. Dat herinner ik me nog zo goed omdat ik zeulend met mijn koffertje net tot boven zijn middel reikte.

Na een stukje gelopen te hebben boog hij zich wat opzij naar mij over en zei: 'Je kan me beter vertellen waar je broer zich schuilhoudt, want dan halen we die ook op en dan ben je niet zo alleen.' Ik dacht: 'Dat nooit, wat denkt die man wel.' Bovendien wist ik Gerrie's adres ook niet precies, maar dat ging die agent niets aan.

Ik vond het starende, zich vergapende publiek aan het begin van de Amstellaan naar en gênant; ik werd bekeken en voelde me vernederd.

Enkele tientallen meters verder zei de agent opnieuw: 'Je kan me toch maar beter wel vertellen, waar je broer is. Ik zeg het voor je eigen bestwil.' Mijn antwoord: 'Nee, ik zeg niets.' Ik voelde me heel sterk en zeer volwassen. Ik wás iemand met mijn bijna 12 jaar. Maar ik werd zo in beslag genomen door wat er gebeurde dat ik mij mijn angsten niet bewust was.

We kwamen bij de trappen van de Wolkenkrabber, waar de over-valwagen van de *Grüne Polizei* stond, bestuurd door een agent daar-van. Ik werd erin gesjord. De wagen was nagenoeg vol, maar er was op de achterste bank nog een plaatsje vrij. Het was door het zeildoek donker in de wagen. Er heerste stilte. Wachten en niet weten hoe verder; een nare en onbestemde situatie. Ten slotte werden er nog twee, in mijn ogen heel oude mensjes opgebracht, een echtpaar. Hij half huilend, jammerend, een keppeltje op: 'Ik geloof dat God niet meer bestaat.' Zo jong als ik was begreep ik: hier breekt een mens, en dat sneed bij mij door alles heen. Dit tafereel heeft in mijn late-re leven, nog lang na de oorlog, innerlijk doorgewerkt. Vanaf de bestuurdersplaats klonk gebrom, iets als: 'Es gibt hier keine Rede über Gott.' Beklemmende stilte.

Na eindeloos wachten werd de auto gestart en reden we met een omweg door, ik meen, de Rijnstraat, Van Woustraat, Ceintuurbaan, J.M. Coenenstraat naar de Apollolaan en het Adama van Scheltema-plein; slechts af en toe kon ik vaag iets zien als het zeildoek door de wind wat kierde. Het was ondertussen helemaal donker geworden en de stad was verduisterd.

Bij de *Zentralstelle für Jüdische Auswanderung*, het domicilie van Lages en Aus der Fünten in de HBS, werden we uitgeladen. Ik weet niet meer of ik toen nog mijn koffertje bij me had. Ik moest op het pad naar de deur van de school aansluiten in de rij voor registratie van de opgehaalde mensen. Het was droog weer met een milde tem-peratuur. Aan beide kanten van het pad stond op een rij een aantal tafels van schragen en planken, marktstalletjes, waarachter Duitse ambtenaren zaten, geflankeerd door secretaresses van de Joodse Raad. Er hingen wat lampen boven de tafels.

Op een gegeven moment was ik aan de beurt voor registratie en een vriendelijke, wat vaderlijke meneer, rond gezicht, gouden brilletje op, keurig in het pak, ronde hakenkruisspeld op zijn revers, sprak mij aan.

'Bist du allein?'

'Ja.'

'Ach, kleiner Junge, was machst du denn hier..., gehe doch fort..., gehst du mal....', zei hij wijzend met zijn arm.

Ik wilde me net omkeren, verdiept in het probleem hoe ik weer thuis kon komen, toen de Joodse secretaresse haast gebiedend opmerkte: 'Er soll registriert werden.'

'Ja, ja, du hast recht.' Dus mocht ik toch niet weg. Ik moest blijven staan om allerlei persoonsgegevens op te geven aan de secretaresse. Ten slotte wenkte de Duitse ambtenaar met zijn hand: 'Gehe, gehe...fort...'

Wie deugde er hier nu eigenlijk?

Ik stond weer op straat, de opgehaalde mensen in hun rij achter me latend.

Er kwam een man naar me toe, naar achteraf bleek ook een medewerker van de Joodse Raad, die buiten spertijd voor Joden op straat mocht zijn, en die bracht me achterop zijn fiets naar huis. Terwijl mijn vader nog even met hem praatte, ging ik naar boven naar mijn moeder en kroop bij haar op bed. Ze was weer rustig en trok me heel dicht tegen zich aan, smoorde me bijna. Je zou verwachten dat ik dat erg fijn en ontroerend zou vinden, maar door mijn gevoel dat al nagenoeg was uitgeschakeld, versteende ik helemaal. Ze zei: 'Zeg vader dadelijk als hij boven komt ook dag; hij heeft moeten huilen.'

Ik herinner me niet meer of ik dat gedaan heb, ik denk van wel.

Ik ging naar mijn kamertje, kleedde me uit en ging naar bed. Daar stond ook nog het restant van de druiven. Druiven? O, ja, de druiven...

Dit incident is in ons gezin verder nooit meer ter sprake gekomen en ik kan of durf me nog altijd niet in de gevoelens van mijn vader te verplaatsen, die mij uit pure machteloosheid moest laten meegaan.

Het leven op school en het leven thuis hernamen voor mij zijn loop. De spanning van de ophaalavonden verdween niet echt, maar je kon er iets beter mee omgaan. Je wist dat het je boven het hoofd hing en het duurde nu al zo'n tijd. Maar een enkele keer als het ons weer te zwaar werd en de spanning te hoog opliep, koesterden we de heimelijke wens dat ze ons maar moesten komen ophalen. Dan zouden we van die ellende verlost zijn. Verder keek je niet.

In het voorjaar van 1943 namen de spanningen in de maatschappij toe. Het stond niet langer vast dat Duitsland de oorlog zou winnen en de maatregelen die ook de niet-Joodse bevolking raakten namen toe, zoals de intensivering van de gedwongen tewerkstelling van mannen en jongens in Duitsland, het opnieuw interneren van de Hollandse krijgsgevangenen, het moeten inleveren van de radio, enz. Het deportatie-apparaat maalde zonder haperingen door. In mei bedacht men het werk wat te kunnen versnellen door 4000 Joden op te roepen zich op een bepaalde datum en tijdstip te melden op de Polderweg in Amsterdam-Oost. Er mocht daarbij zelfs van de tram gebruikgemaakt worden. Gerrie kreeg een oproep evenals tante Greta May, zuster van mijn moeder.

Gerrie was geliefd onder zijn vele, ook niet-Joodse vrienden en hem werd van allerlei kanten een onderduikadres aangeboden. Zijn vriend Simon had zelfs een ontsnapping via Portugal bedacht. Maar Gerrie wees alles af; hij wilde naar het kamp. En waarom wilde hij naar het kamp? Ik moet gissen, want weten doe ik het niet. Ik denk dat Gerrie een vriendin had die korte tijd daarvoor was opgehaald en naar Westerbork was gebracht. Hij wilde haar achterna. Voorzien van gitaar en rugzak alsof hij op trektocht ging langs jeugdherbergen, verliet hij ons huis. Het was op de 25^e mei, de dag nadat hij 21 was geworden.

Dit weggaan van Gerrie was een ramp. Toen hij de deur achter zich sloot, barstte mijn vader uit in luid gesnik. Ik was geschokt; dat had ik nog nooit meegemaakt. Deze grote sterke man, deze autoriteit kon het niet meer aan.

Een half uur later het tweede drama, toen tante Greet afscheid nam om naar de Polderweg te gaan. Ze omarmde me, zoende me, maar kon niet meer uit haar woorden komen, en ook zij verliet, huilend, ons huis, voorgoed verdwenen. 'Weg', zoals dat na de oorlog zou gaan heten.

Dagen en dagen achtereen dacht ik aan Gerrie en telkens opnieuw moest ik huilen.

Simon wist Portugal te bereiken en overleefde de oorlog.

Niet zo lang daarna, begin juni, kwam ik uit school aanlopen en zag net een ambulance voor onze deur wegrijden. Mijn moeder kon er niet meer tegenop en werd opgenomen in De Joodse Invalide op het Weesperplein, het exclusief voor Joden bestemde ziekenhuis. Eén keer mocht ik met mijn vader mee op bezoekuur. Hij moest haar vertellen dat Gerrie uit Westerbork was doorgezonden naar het oosten met onbekende bestemming. Het menselijk drama hield niet op. Ik vond het fijn dat ik moeder wat kon troosten in haar machteloosheid en wanhoop. Aan het einde van het bezoekuur namen we verdrietig afscheid. Ik zou haar nooit meer zien. Zij verdween voorgoed uit mijn leven.

Ons bestaan thuis was ondertussen kapot, de bakkerij stond stil, de winkel werd verwaarloosd. Veel klanten waren al gedeporteerd. Ik vond het aangrijpend mijn vader bezig te zien met het stoppen van zijn eigen sokken. Ik heb het niet over emancipatie, maar over een vereenzaamd, gedeprimeerd mens. Gerrie weg, moeder onbereikbaar, de zaak eigenlijk kapot.

En ik? Ik wilde hem niet belasten en zorgde voor mezelf.

Toen brak zondag, de 20^e juni 1943, aan.

Omdat van de 4000 Joden er slechts 500 gehoor hadden gegeven aan de oproep naar de Polderweg te komen, besloten de Duitsers het groot aan te pakken. Dit keer zetten ze hun eigen mensen in, geassisteerd door Nederlanders. De Rivierenbuurt werd vroeg in de ochtend afgegrendeld. Politieauto's met luidsprekers reden rond met de mededeling dat Joden zich gereed moesten maken voor transport.

Vader besloot zich niet zomaar over te geven. Aan de winkeldeur en het grote etalageraam zaten zware houten schotten, bedoeld om glasschade door granaatscherven van het afweergeschut te voorkomen. We zouden ons schuilhouden in de kruipruimte onder de winkel, te bereiken via een voorraadkast. Hierin zat een vloerluik dat we boven ons hoofd weer op zijn plaats konden leggen. We namen een handdoek of een kleedje mee om op het grind te liggen. Het zal ongeveer half negen in de ochtend geweest zijn.

En zo lagen we daar. Op onze buik. We moesten afwachten. Je kon voetstappen horen van hen die op straat langs gingen. En het duurde en duurde. En toen hard bellen, kloppen op de deur, bellen en nog eens bellen, verwijderende voetstappen. Na een poosje: rommelen aan de achterdeur, en ja, de heren haalden een ruit uit de keukendeur en stommelden de woning binnen. Zo te horen twee mannen. Trap op, trap af, kamer in en kamer uit en tenslotte kwamen ze de winkel in. Ze deden de kastdeur open en stonden op het luik waaronder wij lagen.

Wat zou er gebeuren als ze ons vonden; zou ik helemaal in elkaar geslagen worden? Mijn armen en benen stuk? In een soort bezweringsgebed zei ik: 'God, als U werkelijk bestaat, laat ze ons dan niet vinden.' En: 'God, als...' enz., en zo telkens herhaald. Er gebeurde ook iets met mijn maag, mijn ingewanden. Vader lag onbeweeglijk. De mannen treuzelden wat op dat luik en ik kon de één in onvervalst Nederlands horen zeggen: 'Die Jood is mooi gevlogen en die Jood heeft ook maar mooi veel spullen uit huis gedaan.' 'Ja, ja, jawohl', was de repliek van de ander. Ze vertrokken weer via de achterdeur, na het glas er weer keurig te hebben ingezet, zoals achteraf bleek. Wij bleven achter onder de vloer, verstrakt, verstijfd, gespannen, dof, volstrekt overgeleverd en machteloos. Pas in de avond toen we weer regelmatige voetstappen hoorden van wandelaars kropen we uit onze schuilplaats.

De volgende ochtend, maandag, vertelde vader me, dat ik de komende donderdag moest onderduiken; hij had een adres voor me gevonden. Het zou beter zijn me zo veel mogelijk tot die tijd schuil te houden en zo belandde ik in de woning van Salomons, enkele huizen verder op één hoog. Ik had de sleutel van de voordeur, er liep een trap naar boven. Ik kon in een halletje van de woning verblijven, alle kamerdeuren zaten op slot. Ik had gezelschap van een klein nerveus hondje, dat af en toe jankte en uit gebrek aan een baas en aan vrijheid zijn behoeften in de hal deponeerde. Verder was er geen mens. Ik wist niet waar de bewoners waren en of ze zouden thuiskomen. Misschien waren ze ondergedoken. Het was net als de dag ervoor weer zo'n enorm lange dag van nietsdoen, van wachten, je alleen maar verbergen om niet gepakt te worden; nietsdoen en wachten om te overleven.

Tegen de avond haalde vader me op; ik sliep in mijn eigen bed.

De volgende dag, dinsdag, een herhaling van de maandag. Woensdag kon ik thuis blijven. Het bedrijf lag helemaal stil. Een onwezenlijke rust en stilte in een omgeving waar altijd veel beweging heerste. Ook die dag bestond eigenlijk uit nietsdoen. Tegen de avond, om ongeveer 6 uur, stapten twee heren de winkel binnen. Ze kwamen het persoonsbewijs van mijn vader controleren. Het bleken twee rechercheurs van de afdeling Joodse Zaken van de Amsterdamse Gemeentepolitie. Ze vertrokken weer.

Een trouwe buurvrouw, mevrouw Comba, die zich even liet zien op haar waranda en door vader werd ingelicht, bezwoer hem met mij de nacht in haar huis door te brengen, weg van de onheilsplek die ons thuis was geworden. Vader weigerde. Hij zei niet waarom, maar ik denk dat hij mevrouw Comba en haar familie niet in gevaar wilde brengen. Bovendien, hoe moest het dan verder met moeder?

Donderdag 24 juni om ongeveer kwart voor zeven in de ochtend werd er gebeld. Ik sliep aan de voorkant, werd wakker, schoof het raam open en keek recht in de twee paar ogen van de rechercheurs van de vorige dag. 'Roep je vader en maak maar open, ventje.' Eindelijk, het was dus zover, ik zou niet onderduiken vandaag, maar we werden opgehaald. Aankleden, bagage inpakken en wachten op de politiewagen die ons zou vervoeren. Ik moest mijn koffer de trap afzeulen en dat ging niet zo goed. Commentaar van de rechercheur: 'Toen ik zo oud was als jij, moest ik al heel wat zwaardere dingen sjouwen in de fabriek.' Hij moest er echter toch aan te pas komen. Het kostte hem moeite een Joodje van dienst te zijn en zijn zure gezicht straalde een 'lijden' uit.

De politiewagen kwam. Een klein soort vrachtwagentje, groenig met het mooie Amsterdamse stadswapen op de zijkant. De huisdeur ging op slot, de sleutels verdwenen in de zak van een rechercheur en ondertussen waren er wat buren en bekenden de straat opgekomen, bij de auto. H., onze buurman, NSB'er om den brode, kon zich niet meer goed houden, hij moest huilen en wenste ons alle goeds. Aan hem, en daar ben ik diep van overtuigd, zal het niet hebben gelegen.

Als hij niet snel opkraste, kon hij ook instappen, aldus onze wetsdienaar.

We kwamen terecht in de Paulus Potterstraat nummer 7 bij het Bureau Joodse Zaken van de Amsterdamse Gemeentepolitie, daar waar nu het Van Goghmuseum staat. Wij bleken zwaar in overtreding te zijn, omdat we ons de zondag ervoor aan deportatie hadden onttrokken. We werden naar een kamer op de tweede of derde verdieping gebracht met twee grote ramen aan de straatkant. Er lag een groot Perzisch tapijt op de vloer, verder stonden er zware bewerkte houten meubelen, een voorname kast, er was een dik kleed schuin over de tafel gedrapeerd, een grote siervaas, schilderijen. Dwars op een van de twee grote ramen stond een imposant, enigszins antiek bureau met daarop paperassen keurig in stapeltjes geordend. Alles even correct. Een ambtenaar in burger, wellicht een hoge functionaris, zat te schrijven. Diepe stilte alom. Er drong geen geluid van buiten door, alleen het krassen van zijn vulpen was te horen. Dat duurde geruime tijd. Een enkele keer wat gestommel en wat stemmen beneden in het trappenhuis.

In deze zo keurige en voorname kamer stonden drie sinaasappelkistjes, die met de onderkant naar boven gekeerd tussen de tafel en de muurkast stonden, ver van het raam en zomaar op het keurige tapijt. Een van die kistjes diende mijn vader en mij tot zitplaats. We keken tegen de rand van het tafelkleed aan. Op de andere kistjes zaten Selma, een klasgenootje van mij, en haar familie.

De ambtenaar keek niet op of om, gaf geen krimp, bleef onverstoorbaar doorschrijven. Voor hem waren we nog minder dan lucht.

Terwijl ik op dat kistje zat leek de tijd stil te staan, bestond ik nauwelijks meer. Ik kon niets, ik was niets en voelde me angstig, onbestemd en opnieuw machteloos.

Na verloop van tijd keek de ambtenaar op en een voor een moesten wij voor zijn statige bureau komen staan en enkele vragen beantwoorden, ik weet niet meer welke. We moesten weer vertrekken en in het politiewagentje werden we naar de Hollandsche Schouwburg op de Plantage Middenlaan gebracht. Onze bagage werd in de stellingen op het toneel gedeponeerd bij de stapel andere bagage die er al stond. Een soort broodtas met wat spullen hielden we bij ons.

We vonden onze plaats op het balkon links. Het was ondertussen ongeveer tien uur. En zo begon opnieuw een dag van zitten en hangen en wachten. Het zaallicht was gedempt en er heerste een doffe, depressieve stemming. We waren overgeleverd aan het volstrekt onbekende en ongewone. Ik herinner me af en toe een zacht gekerm enkele plaatsen verderop, het binnenplaatsje met mooi zonnig zomerweer en met wat levendigheid, het wachten in de rij voor de wc en het ongeduld van de wachtenden als je eenmaal in de wc was. Ik moest erg nodig plassen, maar door het gebonk op de wc-deur lukte het niet; ik stond mijn plaats af aan de volgende. Later op de dag zal ik succesvoller zijn geweest.

We hoorden dat kinderen onder de 14 jaar aan het eind van de middag naar de Joodse crèche tegenover de Schouwburg moesten. Mijn vader zei tegen me: 'Je moet proberen weg te lopen uit die rij en ga dan naar Dirk toe; doe je ster los zodat je hem snel kan afdoen als je buiten bent; hier heb je wat kleingeld en denk erom, je moet niet bang zijn in het leven.' Hij keek heel ernstig. Als je 12 bent en je vader spreekt zo tegen je, dan is dat een opdracht. De verdere tijd bracht ik door met bezinning op het weglopen. Zelf zou ik nooit op het idee zijn gekomen.

Dirk was een vertrouwde, niet-Joodse medewerker van ons bedrijf. Hij was al zo lang in dienst, al van voor de geboorte van Gerrie, dat hij in feite tot de familie hoorde.

Het moment van afscheid was daar: 'Dag pap, tot morgen,' Een zoen op zijn wang.

We gingen de straat op, een rij van ongeveer vier, vijf kinderen breed. Ik stond aan de linker buitenkant, de ingang van de Schouwburg in de rug. Het trottoir was breed en de stoet zette zich in beweging. Mijn eerste gedachte: ik moet uit de rij weg voordat we van het trottoir af zijn. Tweede gedachte: doe uiterst onopvallend en gewoon. Ik had mijn ster in het voorhalletje al afgedaan, stak beide handen in mijn broekzak, maakte me wat rond en halverwege de stoep verliet ik linksom kerend de rij die doorliep naar de overkant. Ik schopte zachtjes een steentje voor me uit en liep heel rustig, quasi onverschillig als een 'echte Hollandse jongen' in de richting van de Hortusbrug. Ik moest deze pose in ieder geval volhouden tot ik de hoek om was bij de Plantage Parklaan, een eind verderop. Wat dat betreft had ik de verkeerde buitenkant van de rij opgezocht; immers de Roetersstraat lag op enkele tientallen meters vlakbij. Ik zou dus snel de hoek om zijn geweest en daarmee uit het zicht van de bewakers. Maar goed, ik liep dus heel rustig, heel traag de straat door, alleen maar geconcentreerd op het steentje dat ik voort schopte. Maar ik voelde een enorme spanning met zware, diepe angst. Wanneer zal ik de klauw van een bewaker in mijn nek voelen? Omkijken kon absoluut niet. Dergelijke situaties en ervaringen zijn niet goed voor een mens.

Toen ik de hoek om was de Plantage Parklaan in, durfde ik even om te kijken; ik liep alleen. Toen durfde ik ook vlugger te gaan lopen. Het was gelukt. Ik maakte weer een kans. Maar wie en wat ik achterliet...

Ik wist de weg naar Dirk die erbij had gestaan toen we 's ochtends werden opgehaald. Wat een ongelovige blik toen hij me zag, en wat een angst toen ik mijn ontsnapping vertelde. 'Ben je niet gevolgd?' Zijn zoontje was amper drie jaar. Ik bleek niet gevolgd.

Achter op de fiets van neef Pieter Kuijk (niet Joods) kwam ik bij tante Jet, een zuster van mijn vader, gemengd gehuwd en dus voorlopig 'veilig'. Zij legde me, een volstrekt bevroren mens, los van alles en iedereen te slapen.

Een merkwaardig detail van deze dag: ik had geen Duits horen spreken, geen Duitser gezien. De vervolgingswerkzaamheden werden die dag verricht door dienaren van de Amsterdamse politie en Nederlandse leden van de SS.

Op deze bewogen donderdag, 24 juni 1943, begon de periode van mijn onderduik die tot medio oktober 1944 zou duren. Ik ben dan lichtjaren verwijderd van de kinderwereld waarin ik in de meidagen van 1940 verkeerde.

Op 17 juli 1943, enkele weken later, werd mijn vader, Maurits Blom, 48 jaar, volgens de gegevens van het Rode Kruis, 'in Sobibor door gasverstikking om het leven gebracht'.

'Dag pap, tot morgen.'

2. 24 juni 1943 tot medio oktober 1944:
Ondergedoken – van (n)ergens naar (n)ergens

Onderduiken betekent je verbergen voor de buitenwereld, bewust ervoor zorgen zo onzichtbaar en onopvallend mogelijk te zijn, je niet laten gelden. Dit impliceert een ontkenning van je persoon en je bestaan. Paradoxaal genoeg is het opheffen van je eigen persoon en bestaan gericht op het redden van je leven en van je bestaan.

Tot ongeveer 1 september 1943 verbleef ik op verschillende adressen, die door vrienden van familie voor me werden gezocht. Na mijn vlucht uit de Hollandsche Schouwburg kreeg ik enkele dagen onderdak bij tante Jet de Vos-Blom, een oudere zuster van mijn vader. Zij was 'gemengd gehuwd', getrouwd met oom Kees de Vos, die niet-Joods was. Zij hadden een dochter, Yvonne.

Toen er geruchten kwamen over een ophanden zijnde razzia leek het iedereen beter dat ik naar familie van oom Kees in Arnhem zou gaan. Ik werd op het Amstelstation op de trein naar Arnhem gezet. In de trein bleef ik in het halletje staan met mijn neus tegen het raampje van de buitendeur, bang gezien te worden met wat ik beschouwde als mijn Joodse uiterlijk, wat dat dan ook mocht zijn. Een Duitse soldaat, die schuin achter me op een klapstoeltje zat, vond me kennelijk wat zielig, want hij trok me op zijn knie, en zo reisden we gezamenlijk verder. Vriend en vijand verenigd in een humaan gebaar.

Op station Arnhem aangekomen stond daar tot mijn grote verbazing tante Jet met haar zwager. Wellicht zat ze in dezelfde trein of had ze een trein eerder genomen. Ze instrueerden me dat ik hen op enige afstand moest volgen. Af en toe keken ze om. Het zorgde achteraf voor wat hilariteit dat ik elke beweging die mijn tante maakte, stapje opzij, stapje zus, stapje zo, precies navolgde.

Tante Jet en ik belandden op een zolderkamer van een riante villa in de buurt van Huize Bronbeek. Er viel licht door een dakkapel, waardoor ik, als ik op een stoel ging staan, naar buiten kon kijken.

Maar dat was strikt verboden, want recht tegenover ons huis bevond zich een gebouw waar Deutsche Mädel, de z.g. Grijze Muizen, woonden en je wist maar nooit wie er toevallig je kant uit zou kijken. Er gold een nog stringentere opdracht: ik mocht geen enkel geluid maken zolang het dienstmeisje van de familie in huis was. Zij zou kunnen gaan kletsen en dat zou weer tot verraad kunnen leiden. Dus stilzitten.

Dagelijks deden we als zij vertrokken was wegkruipoefeningen voor het geval dat de politie of *Gestapo* toch de woning zou willen doorzoeken. In onze zolderkamer was een vaste kast en het plafond van de kast werd losgemaakt. Je kon die dus makkelijk optillen en door de ontstane opening op een lage vliering verdwijnen. Je kon het 'luik' dan weer sluiten en verzwaren met een steen. Een probleem was wel dat de spijkers van de planken die het plafond van de zolderkamer vormden hier en daar uitstaken. Maar je moest roeien met de riemen die je had. Gelukkig hebben we nooit gebruik van onze schuilplaats hoeven maken.

Na twee weken vond een niet-Joodse vriendin van onze familie een adres in Utrecht. Het betrof een gezin van vader, moeder en een dochtertje van 10 jaar, die in een piepkleine woning woonden. Vanaf de voordeur liep een gang naar de keuken, er was een deur naar een voor- en achterkamer, die verbonden waren door een doorgang met alkoof en er was een binnenplaatsje. De ouders sliepen in de alkoof en het dochtertje en ik in de huiskamer. Zij in een opklapbed, ik op een divan.

De vader werkte bij de luchtbescherming en schnabbelde wat bij met het verkopen van z.g. Belzensjekkies tegen 10 cent per stuk.

Ik mocht niet op het binnenplaatsje komen en moest uit de voorkamer wegblijven, kortom: ik mocht niet door andere mensen worden gezien. Zo verbleef ik vier weken lang dag en nacht op 'mijn' divan. Ik rookte er voor het eerst een sigaret, en spelde in de krant de hoopvolle berichten over de Duitse legers die zich na het echec bij Stalingrad in januari 1943 'volgens plan terugtrokken'. Ook in Afrika was in maart 1943 een keerpunt bereikt. Het gebeurde allemaal nog wel erg ver weg en de vervolging ging in alle hevigheid door.

In een hoek van het keukentje, naast de gangdeur, stond een wasmachine, een houten kuip op poten met daaroverheen een afneembare wringer. Als er gebeld werd moest ik in die houten kuip kruipen en een doek over me heentrekken. De wringer was er afgehaald en stond achter de kuip.

De sleur en verveling werden doorbroken toen Greetje, een Joods meisje, een poosje in het gezin werd opgenomen. Zij was 13, een jaar ouder dan ik. Ze sliep 's nachts bij het dochtertje in bed.

Op een gegeven dag waren we met ons drieën alleen thuis. De onderduikouders waren boodschappen doen in de stad. Greetje lag op de divan en ik probeerde uit alle macht haar onderbroekje naar beneden te trekken. Ik moest en zou zien hoe ze er van onderen uitzag. Greetje verdedigde zich fel en met succes; behalve wat van haar schaamhaartjes bleef ze voor mij verborgen en ik voelde dat ik ermee moest stoppen. Het had ook iets angstigs.

We kwamen van tijd tot tijd in nauw lichamelijk contact met elkaar, want als er gebeld werd moesten we ons nu samen in de houten kuip van de wasmachine schuilhouden. Ik zat onder, gehurkt, en Greetje op mijn schoot. We waren beiden klein van stuk en we pasten er precies in. Greetje trok dan ten slotte een groot laken over ons heen. En dan moesten we wachten tot we weer veilig tevoorschijn konden komen.

Ik had geen zuster. Met buurtvriendjes scharrelden we soms met buurmeisjes en vriendinnetjes, maar het menselijk naakt en vooral het vrouwelijk lichaam bleef beneden de halskraag allemaal erg vaag om niet te zeggen onbekend. We leefden in mijn jeugdjaren in een uitermate kuise tijd. De menselijke anatomie, de seksualiteit en het wonder van bevruchting en geboorte waren voor ons beladen onderwerpen en golden als een taboe. Ongetwijfeld waren er verschillen per gezin, maar in mijn ouderlijk huis was alles wat maar naar naaktheid en seksualiteit zweemde tot iets uitermate vies en negatiefs bestempeld – althans in mijn beleving. Mijn belangstelling en gevoelens voor al dat verbodene waren echter sinds mijn elfde jaar niet te miskennen. Mijn gevoelens en nieuwsgierigheid gaven mij ook een intens gevoel van schuld en schaamte, vooral jegens mijn moeder die in dit opzicht zeer streng was.

En daar zit je dan in een uiterst precaire situatie, want met Greetje samen in die kuip van de wasmachine stond de wereld op zijn kop. Mijn nieuwsgierigheid en gevoel werden hevig geprikkeld. Zeker na die ene keer toen Greetje nodig moest plassen. Ze klom stilletjes uit de wasmachine en deed heel discreet wat ze moest doen in de gootsteen van het aanrecht en kwam daarna weer op mijn schoot zitten.

Na korte tijd ging Greetje weg. Ik bleef nog twee weken. Door het schuldgevoel en de angst als gevolg van mijn opdringerige gedrag vroeg ik me af: Moet ik nu toch maar wegsluipen uit de woning en me gaan aangeven bij de Duitse SD?

Ik sliep, zoals gezegd, met het dochtertje van de onderduikouders in de huiskamer. Met haar 10 jaar was ze bijna 2 jaar jonger dan ik. Toen ze zich enkele dagen na het vertrek van Greetje voor het slapen voor mijn divan posteerde en ze mij zonder enige schroom haar geslacht liet bekijken met de opmerking: 'Van mij mag je het wel zien, hoor', ervoer ik dat als uitermate schokkend en beangstigend. Ik wees dat gebaar dan ook zeer verontwaardigd af, maar had daar ondertussen ook spijt van. Waarom dan toch dat sterke schuldbesef? Inderdaad, ik had Greetje niet goed behandeld, maar het bleef binnen het kader van kinderlijke nieuwsgierigheid. Ik had geen geweld gebruikt, ondanks mijn gesjor. En waarom reageerde ik zo afwijzend ten aanzien van mijn kamergenootje? Waarom zou ik me moeten gaan melden bij de Duitsers die ik een maand tevoren ontvlucht was?

Zonder overdrijving kan ik zeggen dat het leven na september 1941, toen de Jodenvervolging daadwerkelijk begon, een leven vol opeenvolgende schokkende gebeurtenissen was. Belangrijk element daarvan is dat ik van het ene moment op het andere mijn ouders en mijn ouderlijk huis verloor en daarna volstrekt overgeleverd werd aan de gezindheid en welwillendheid van vreemde mensen. Waarom overkwam mij dit verschrikkelijks? Verdiende ik straf? Ik heb me niet aangemeld, maar ik heb wel jarenlang geleden onder een diepgeworteld besef van schuldigheid. En telkens opnieuw in de onderduikperiode, als er weer een verlangen in mij ontwaakte naar de nabijheid van een onderduikzusje, deed zich hetzelfde fenomeen voor. En ieder gebaar van het zusje, van haar moeder of haar vader dat ik zou kunnen interpreteren als een persoonlijke afwijzing, viel op rijpe bodem. Ik moest veel ouder worden, volwassen in denken en redeneren, om dit onvolwassen schuldgevoel in mezelf te lijf te kunnen gaan.

Na het verdwijnen van Greetje deed zich op mijn onderduikadres een erg spannend en bedreigend moment voor. Er stond zomaar ineens een marechaussee binnen in vol ornaat en vergezeld van een vrouw. In een mum van tijd was ik verdwenen door de voordeur, de straat op, vast van plan me te gaan melden bij de Duitsers. Wellicht zou ik vader terugzien en zou ik verlost worden van de spanning van het onderduiken. Het werd mijn redding dat de vrouw, die de echtgenote van de agent bleek te zijn, ontdekte dat ik er vandoor was. Ze ging achter me aan, stelde me gerust en nam me weer mee terug naar huis. Het bleek dat de marechaussee een poosje op ons adres kwam onderduiken.

Ongeveer aan het begin van mijn vierde week in het gezin, de marechaussee was alweer vertrokken, vertelde mijn onderduikvader mij twee nare berichten. Het eerste betrof mijn vader, die kort tevoren uit Westerbork was doorgestuurd richting het oosten. Ik herinner me dat ik enorm onderkoeld op dit bericht reageerde. Haast vijandig, bijna met het gevoel: 'net goed voor hem'. Als het op overleven aankomt staat de menselijke psyche voor niets.

Het tweede bericht raakte me diep en deed me huilen: Kees, een niet-Joodse medewerker van onze bakkerij, van wie ik hield en die altijd goede maatjes met me was geweest, was bij een bombardement op de Fokkerfabrieken in Amsterdam-Noord door een afzwaaier getroffen. Hij was gestikt in het puin van de bakkerij, waar hij op de eerste dag van zijn nieuwe baan, aan het werk was.

Tegen het einde van de vierde week hoorde ik dat ik naar een ander onderduikadres zou gaan. Onderduikers vormden een bron van inkomen voor het gezin dat van een karig loon moest rondkomen. Tante Jet moest dat geld voor mij opbrengen en dat was voor haar niet lang vol te houden. Via Yonne, die als verpleegster in het Emmakinderziekenhuis in de Sarphatistraat werkte, wist zij contact te leggen met een studentenorganisatie die Joodse kinderen in

Friesland en Limburg ondergebracht. Zo werd ik eind augustus 1943 door een man meegenomen in de trein naar Amsterdam. Op het mij welbekende Amstelstation stapten we uit en met de tram gingen we richting de binnenstad. Het was schrijnend om langs mijn eigen huis te rijden. De ramen van de etalage en de deur waren dichtgetimmerd. Op een van de grachten in de Utrechtsestraat stapten we uit, liepen een stukje langs de even kant en gingen toen een groot kantoorgebouw annex woonhuis binnen. Boven, in een vertrek dat voor mijn gevoel de dimensie van een zaal had, zaten aan een lange tafel veel Joodse kleuters te eten, misschien wel tien of veertien kinderen. In dat huis bracht ik een ongemakkelijke nacht door. Alles was vreemd, geheimzinnig en groot. En wat zou mijn bestemming zijn? Waar zou ik naartoe gaan? En waar moest ik plassen als ik 's nachts moest?

De volgende dag werd ik vroeg opgehaald door Arie, een man uit het verzet. We gingen naar het Centraal Station. Hij vertelde me dat we naar Maastricht zouden reizen met de trein, dat ik een deel van de reis gezelschap zou krijgen van een Joodse jongen van mijn leeftijd, Appie. Arie zou zelf bij mij in de coupé zitten, maar ik moest me gedragen alsof ik hem niet kende. Tijdens de reis zou de halte Vught (met zijn concentratiekamp) een kritisch moment kunnen zijn en verder moesten we maar hopen dat er geen controle zou plaatsvinden. Groot voordeel was in ieder geval dat ik nog te jong was voor een persoonsbewijs. Spannend en beklemmend. Dat werd nog erger toen Appie naast me kwam zitten. We namen met ons tweeën één plaats in. Hij zat aan het raampje en hij was in zijn leven nog nooit buiten Amsterdam geweest. Hij verbaasde zich zo over de weilanden en vooral de koeien dat hij zich nu en dan liet ontvallen: 'Oi, u koeh', 'Oi, nog u koeh.' Jiddischer kon niet. Recht tegenover ons zat een meneer, brilletje met gouden montuur, net pak, vouwen in de broek, die met aandacht de *Deutsche Zeitung in den Niederlanden* zat te lezen. Na de zoveelste 'Oi' van Appie, liet hij zijn krant zakken en keek ons onderzoekend aan en ging daarna weer verder in zijn krantje. Dit tafereel herhaalde zich een paar keer. Ik probeerde Appie onopvallend tot stilte te manen, maar hij snapte me niet. Arie keek de andere kant uit.

De reis ging verder, Appie verdween, de kranten lezende meneer ook en op station Vught verliep voor mij alles goed. Een rij mannen bleef op het perron achter. De volgende spanning ontstond toen ik meende op Arie na met alleen nog maar Duitse mensen in de coupé te zitten. Mijn ongeoefende oor verwarde het Limburgse dialect met Duits.

Hoe dan ook, zonder incidenten bereikten we Maastricht en Arie bracht me een nacht onder bij een familie, ik zou niet weten wie en waar. Hoewel ik ongodsdienstig ben opgevoed, herinner ik me dat ik voor het slapen op mijn knieën voor het bed ging liggen, de ellebogen steunend op het bed, en bad om bevrijding, om verlossing van de spanning.

Maastricht bleek slechts een tussenstation op weg naar mijn nieuwe onderduikbestemming. Opnieuw moest ik de afschuwelijke trein in, waarin je geen kant uit kon. In de buurt van Venray stopten we bij een klein stationnetje en daar stond de 'professor', een rijzige man met baard en bril, mij op te wachten met nog drie Joodse kinderen om zich heen. Arie verdween, voorgoed. We moesten in Tienray zijn, maar om niet op te vallen moesten we langs achterafweggetjes en zelfs door enkele weilanden met koeien naar Tienray lopen. Nu is het één ding om koeien te bewonderen vanuit een trein, maar het is iets heel anders door een weiland te lopen waarin die beesten vrij rondlopen. Alle vier waren we bang voor die koeien en nauwgezet onderzochten we onze kleding op de aanwezigheid van een rode kleur om die te kunnen afdekken. Uit verhaaltjes en strips wisten we immers hoe gevaarlijk koeien konden worden bij het zien van iets roods. Over een onderscheid tussen mannelijk en vrouwelijk in de koeienwereld beschikten we niet.

Tienray. Het is de naam van een plaats die me nog altijd met bewondering vervult. We werden ondergebracht in een villa en van daaruit werden we al of niet na een nacht slapen ondergebracht bij gezinnen in de omgeving, ook boerengezinnen. Alles vond plaats in een sfeer van anonimiteit. Na de oorlog hoorde ik dat de villa in Tienray een belangrijk centrum van het verzet tegen de Duitsers was geweest. Het was een haltepunt in de ontsnappingslijn voor gestrande geallieerde piloten en ontsnapte geallieerde krijgsgevangenen en het was een centrum van waaruit ongeveer 125 Joodse kinderen zijn ondergebracht in onderduikgezinnen in de regio. Het illegale werk werd geleid door Hanna van de Voort, een ongehuwde kraamhulp, die met haar vader de villa bewoonde, en Nico Dohmen, een student. Nico zou degene worden die mij het komende jaar alleen al door zijn verschijnen en belangeloze houding enige troost en veiligheid bracht. Een soort oudere broer. Hij kwam nu en dan op mijn onderduikadres kijken hoe ik het maakte en hij bracht distributiebonnen.

Vanaf 1 september 1943 tot 1 september 1944 was ik ondergedoken op een boerderij in de omgeving van Tienray. Het gebied lag afgelegen aan de toen stille westkant van de Maas. Een ongeplaveid karrenpad voerde vanuit een nabij dorpje naar de boerderij.

De boerin was moeder van twaalf kinderen en naast de huishouding, waarin ook de oudere dochters meehielpen, bestierde zij met haar man het gemengde en voor die dagen grote boerenbedrijf. Behalve tien koeien waren er twee werkpaarden, varkens en wat schapen. Er waren ettelijke hectaren bouwland, weidegrond en boomgaarden. En een flinke moestuin. Het bedrijf huisde in een grote Frankische boerderij, d.w.z. er was een carré van aaneengesloten gebouwen met stallen, opslagplaatsen, graan- en hooizolders, toegankelijk via een grote poort waar geladen wagens onderdoor konden. Naast het werkgedeelte en verbonden door een korte strook laagbouw stond het zogenoemde 'Kasteeltje', een groot en rijzig vierkant, classicistisch aandoend landhuis met deels een gracht eromheen. In dat huis bevonden zich de opkamer en de slaapkamers van de gezinsleden. Het dagelijkse leven speelde zich af in de grote woonkeuken tussen bedrijf en landhuis in. Op het erf en op de eigen terreinen kon ik vrij rondlopen, maar verder niet.

Het gezin was praktiserend katholiek en de onderduikouders hebben me opgenomen op verzoek van de pastoor. Ik deed mee in het gezin, participeerde in de katholieke rituelen en leerde het dialect. Mijn eerste pogingen daartoe tijdens de maaltijden leverden veel hilariteit op. Met dat clowneske gedoe stond ik in het midden van de aandacht. We zaten met zestien mensen om de tafel.

Ik hielp naar vermogen mee bij het boerenwerk. Ik vond het

bedrijf fascinerend: de veelzijdigheid van het werk, het omgaan met de werkpaarden en het vee, de vele beslissingen die moesten worden genomen over bemesten, zaaien, oogsten, de natuur en stilte om ons heen, het rekening moeten houden met het weer, enz. Mijn betrokkenheid ging zo ver dat ik mij voornam later ook boer te worden. Ook het eten smaakte goed, terwijl het zo totaal anders was dan het eten thuis. Zwaar, vet en veel varkensvlees, dus verre van kosjer. Ik hoorde er, zeker de eerste maanden, naar mijn gevoel wel bij, maar toch ook weer niet helemaal. Er werd een scheidslijn getrokken tussen mij en het gezin. Het mooie, grote woonhuis was voor mij verboden terrein. Ik moest me voor de nacht tevreden stellen met een bed boven de stallen, samen met de knecht Theo.

Behalve een geallieerd toestel dat niet zo ver van de boerderij neerkwam, een blikseminslag die een verder gelegen boerderij in de brand zette, het volstrekt ongemerkt passeren van mijn 13e verjaardag en een zeer koude winter met weinig warme kleding, gebeurde er dat jaar in mijn omgeving weinig spectaculairs. De landing in Normandië op 6 juni 1944 was echter groot en hoopgevend nieuws, maar nog wel erg ver weg, daar en niet hier.

Na verloop van een aantal maanden groeide er een spanning tussen de boerin en mij en dat was ingrijpend voor mijn gemoedsrust. Ik begon me steeds ongemakkelijker te voelen en op een of andere manier ook schuldig. Ik vond Christien, die een jaar ouder was dan ik, wel aardig. Was dat fout? Ik deed wel eens onhandig met de paarden. Was dat misschien verkeerd? Ik ging wel eens op een afgelegen stuk van de zolder boven de stal plassen, op een plek waar de muizen vrij spel hadden, in plaats van helemaal beneden naar de stal te gaan. Wist ze dat en keurde ze dat af? Naar mijn gevoel restte er niet veel anders dan me in mezelf terug te trekken. De wereld werd kil en eenzaam. Toen de schapenbok me verwondde, hielp ik mijzelf. Toen de twee dagloners bij het dorsen me bij wijze van grap vol smeerden met stroop en daarna door het kaf haalden, loste ik dat zelf op. De meest gelukzalige momenten beleefde ik als ik op zondagmiddag op het land in een mild zonnetje, weggedoken lag in een greppel. Ik had de eerste helft van een spannend boek gevonden over de Amerikaanse Sing Sing-gevangenis, waaruit enkele mannen trachtten te ontsnappen. Helaas kon ik niet nagaan of het hun lukte, want de laatste helft ontbrak. Maar telkens opnieuw kon ik wegdromen bij de woorden 'Amerika' en 'ontsnappen'.

Toen ik op 1 augustus 1944 na het ontbijt op weg zou gaan naar het akkerland om zoals gewoonlijk mee te helpen, zei de boerin tegen mij: 'Jan, je moet weg, je kan niet langer blijven. De SD heeft in Tienray een inval gedaan en ik ben bang dat ze een lijst zullen vinden met jouw naam erop en dat ze dan hier komen zoeken; je moet weg.' (Jan was mijn onderduiknaam).

Ik was snel reisvaardig, behalve datgene wat ik aan had was er nog een overhemd, een paar hemdjes, een zakdoek én mijn talisman: het boek *Licht- en Krachtinstallaties*. Ik had dat boek nog thuis op mijn 11e verjaardag gekregen; het stond op mijn verlanglijstje, want elektrische stroom fascineerde me. Tijdens mijn onderduik in Utrecht kreeg ik dat boek via tante Jet, waar het op zijn beurt 'ondergedoken' had gelegen, weer in handen. Een stuk pakpapier en een touwtje eromheen en ik was gereed voor vertrek. Het kwam niet bij me op om op de boerderij iemand gedag te zeggen, maar ik ging wel naar het veld waar de boer en zijn knecht aan het werk waren.

'Ik kom u gedag zeggen, ik moet weg.'

Hij zweeg. Ik zweeg.

Toen hij: 'Luister Jan, ga naar de keet achter op ons land bij de oude afgraving van de steenfabriek. Blijf daar, dan zal ik voor vanavond naar een andere plek voor je zoeken.' De boer was, hoewel jegens mij wat afstandelijk, toch altijd een warme, vaderlijke persoon geweest; dat bleek ook nu weer.

Achteraf kan ik me het dilemma waarvoor de boerin zich met haar twaalf kinderen geplaatst zag goed voorstellen. Het leek lang geleden, maar krap twee jaar daarvoor, in september 1942, liet ook mijn vader mij met de agent van de Zwarte Politie meegaan.

Ik ging naar de schaftkeet van de leemstekers. Het was een kleine vierkante houten keet met een schuin aflopend dak. Aan de voorkant zat een deur met een oud roestig slot met een sleutel die het nog deed. Naast de deur was een dichtgetimmerd raam. De hut stond met de achterkant tegen een oude lössafgraving op een van de akkers van de boer. Er groeiden lupine en haver op de velden ervoor en ernaast. Er liep vanaf de steenfabriek aan de Maas een spoortje naar de afgraving. Slechts de gammele keet en de oneffenheid in het terrein herinnerden aan de vroegere bedrijvigheid. De fabriek was al geruime tijd buiten gebruik. Het interieur was kaal met een houten vloer en rondom de wanden een houten zitbank. Er was een vloerplank los en daaronder verborg ik mijn 'bagage'. Het zal toen half negen geweest zijn. Er restte niet veel anders dan in machteloosheid te wachten op de dingen die zouden komen.

Tegen de avond werd ik wat ongeduldig. Ik was dan ook erg blij toen Mien, de oudste en al volwassen dochter van de boer een pak boterhammen en wat drinken kwam brengen; maar er was nog geen nieuwe plek gevonden. 'Hou je taai en tot morgen.'

En zo duurde dat, de ene dag na de andere, dertig dagen lang. Gelukkig was het goed zomerweer, met enkele keren een onweersbui. Ik leefde vooral 's nachts in het donker. Ik ging dan wat fruit plukken, zat voor mijn hut naar de (vallende) sterren te kijken. Overdag hield ik me schuil in braambosjes of tussen het graan. Mentaal bleef ik overeind door het uitvoeren van allerlei magische rituelen, bijvoorbeeld viermaal gebukt om de hut lopen en op iedere wand een kruisteken maken. Ook droomde ik weg in fantasieën waarin ik mijn vader in een vriendelijk en harmonisch gesprek met Christus gewikkeld zag, waarbij ze bespraken hoe tevreden ze over me waren en hoe ze over me waakten. Een enkele keer ging het toch mis en sloeg de paniek toe. Ik herinner me de keer toen ik bij een hevige donderbui niet meer bijtijds in mijn hutje kon komen, drijfnat werd en bovendien de roestige sleutel in het lupineveld verloor. Ik sloot de keet voor de zekerheid altijd af als ik hem verliet, zodat nooit kon blijken dat hij bewoond werd. Toen het droog werd ging ik zoeken en vond hem gelukkig weer terug op mijn vaste plekje.

Op een avond laat vond er een kritiek voorval plaats. Tsjeng, de klompenmaker, kwam in de verte over de velden aangewandeld. Waarschijnlijk had hij wat strikken gezet. Ik sloop snel mijn hutje binnen, maar kon de sleutel aan de binnenkant niet zo snel omdraaien. Tsjeng, nieuwsgierig wat hij binnen zou aantreffen, stond te rukken en te sjorren aan de deurklink en ik aan de binnenkant met mijn voet tegen de wand hield de deur uit alle macht dicht. Gelukkig gaf

Tsjeng het na een poosje op en verdween. Onvoorstelbaar wat een kracht je als kind kunt ontwikkelen.

Verder was het leven een aaneengesloten keten van tijd die duurde en duurde. Op zekere avond vertelde Mien me bij het brengen van de boterhammen en het drinken dat Nico uit Tienray weer contact had opgenomen. Hij zou me de volgende dag komen halen. Die avond mocht ik voor één keer op de boerderij in de tobbe.

Inderdaad haalde Nico me de volgende dag, 1 september 1944, op. Hij zei verontwaardigd te zijn omdat hij door mijn onderduikouders niet was ingelicht over de gang van zaken tijdens de afgelopen weken. Hij bracht me naar een bushalte en gaf me een buskaartje. Nico verdween en na een poosje kwam de bus. De conductrice wenkte me, gaf me een plaats vlak achter de brede rug van de chauffeur zodat slechts mijn achterhoofd te zien was voor de inzittenden. 'Ik waarschuw wel, wanneer je eruit moet.'

Ik voelde me gespannen. Ik had langer dan een jaar in onderduik overleefd, de geallieerden zaten in Frankrijk en nu moest ik de straat op, de openbaarheid in, waar het gevaar dreigde alsnog opgepakt te worden.

In Venray moest ik op een kerk- of marktplein uitstappen. Er kwamen daar meerdere buslijnen samen. De conductrice wees me de halte aan waar ik moest gaan staan. Ik had geen flauwe notie naar welke bestemming ik werd gedirigeerd, maar ik sloot aan achter in een rijtje wachtenden. Achter mij kwamen weer anderen staan. Ik had mijn pakpapieren pakje onder de arm en stond er quasi onverschillig bij, de houding waarmee ik uit de rij van de Schouwburg liep.

En toen, ja hoor, controle. Twee Nederlandse, dialect sprekende mannen in burgerkleding van de Economische Controledienst begonnen bij nummer één van de rij. Zij controleerden het persoonsbewijs en wilden de bagage van iedere passagier zien. Met mijn 13 jaar was ik te jong voor een persoonsbewijs, maar ik had wel mijn pakje onder de arm en hoe zat het met mijn 'Joodse' uiterlijk?

Ten slotte bereikte de mannen ook mij. Een stem achter me: 'Heren, dat is Jan van kostschool hier en die moet even een dagje naar huis, dus dat is wel in orde.' Het bleek de stem van een pater te zijn te oordelen naar zijn habijt en boordje.

De heren: 'Jawel menier, pastoer.' Ze lieten mij met rust en gingen verder met hun werk. Ik keek even schuchter om. Een flauwe glimlach over en weer. En dat was het. Geen verder contact, maar wel gered. Zat de pater in het complot? Of was hij een wildvreemde die ter plaatse een beslissende houding aannam?

Uiteindelijk kwam de bus, die me naar Deurne bracht. Dat weet ik omdat de bus een bord met de plaatsnaam passeerde. Weer een wenk, nu van een conducteur en ik stond buiten. De bus reed alweer verder. Aan de overkant van de halte stond een man tegen zijn fiets geleund. Hij knikte naar me, waarop ik hem volgde. We gingen een deur door van een groot vrijstaand huis. Het bleek het kantoor van een timmerfabriekje. Tot mijn grote schrik hoorde ik Duits spreken. Wat had dát nou te betekenen? Er werd in dat fabriekje voor de Wehrmacht gewerkt, maar op het kantoor zetelde ook een afdeling van het verzet. In het hol van de leeuw.

Ik kon wat in de tuin rondhangen in afwachting van het verdere verloop der dingen. Ik bleef het allemaal raar, eng en onveilig vinden, maar een alternatief was er niet. Dus denken en gevoel uitschakelen. Uiteindelijk bleek ik in goede handen te zijn. Ik kreeg een begeleider, Piet, die me meenam in de bus en vervolgens in de trein naar Mill. Hij waarschuwde me wel voor mogelijke complicaties tijdens de treinreis. We zouden met de trein het vliegveld Volkel passeren en de Duitsers hadden de gewoonte in het geval van bombardementschade de trein aan te houden en daar de benodigde werkkrachten uit te halen voor het herstel van de schade. Stel dat de trein stopgezet zou worden, wat zou er dan met mij gebeuren? We zullen het nooit weten, want we kwamen veilig en wel met de trein in Mill aan. Maar zo langzamerhand begonnen de zenuwen mij parten te spelen. Ik verlangde ernaar weer veilig ergens weggestopt te zitten.

We liepen via bospaadjes en landweggetjes naar het nabijgelegen St. Hubert en bij een klein vervallen huisje, hielden we stil. Piet liet mij bij het tuinhek wachten en ging naar binnen. Weldra kwamen twee knulletjes, iets jonger dan ik zelf, naar buiten en begonnen me wat te vragen. Ik verstond iets als 'heddegénekô?'

'Wat?'

'Heddegénekô?'

Het was een wat gure dag en ik was luchtig gekleed, want ik bezat geen jas en ze vroegen me: Heb je het niet koud?

Op dat moment wist ik nog niet dat beide jongens, met hun broertjes en zusje, vijf in totaal, een jaar lang mijn pleegbroertjes en -zusje zouden worden. De bedoeling was dat ik bij de dames v. K., onderwijzeressen en rijke boerendochters, in hun villa werd ondergebracht, maar zij trokken zich op het beslissende moment terug en zo bleef ik bij Kee en Janus en hun kinderen. Ik werd in dat vervallen huisje opgenomen als zesde en oudste kind. Er was geen stromend water, en geen afvoer. Er was alleen een elektrisch peertje van 20 watt boven de tafel met rechte houten keukenstoelen op een kale stenen vloer. We moesten het doen met een ouderwetse plee achter op de deel van het huisje.

Mijn nieuwe onderduikouders waren arm, maar – en het klinkt als een cliché – hartelijk. De man verdiende zijn geld als boerendagloner en scharrelde wat met bonkaarten en zwarte handel in koffie en roomboter. Hij had de economische crisis van de jaren dertig meegemaakt, met alle vernederingen die voortvloeiden uit de politiek van Colijn en van de werkverschaffing in de Dienst Uitvoering Werken, de z.g. DUW in beheer bij de Heidemaatschappij.

De jongens uit het gezin, onder wie ik, sliepen op stromatrassen op de vliering. Overdag hield ik me wat schuil in en rondom het huis. Een hoge, dichte heg scheidde ons erf van de boerderij van Drieskens Wim. Ons huis lag een stuk van de doorgaande weg af. De bijbehorende boomgaard, ongeveer 80 meter diep, lag tussen het huisje en die weg in.

Op die eerste september toen ik bij mijn nieuwe onderduikouders aankwam konden we niet bevroeden dat vijf dagen later het land in rep en roer zou zijn. Op 5 september brak Dolle Dinsdag uit door het gerucht dat de geallieerden al in Breda zaten. Hals over kop vluchtten NSB'ers en verraders bepakt en bezakt uit het westen weg. Een spannende tijd en eng. De mensen zochten op hun weg naar Duitsland onderdak bij Drieskens Wim en ik zat hele dagen op de vliering, dicht bij een opening in de schouw boven het kolenfornuis. Gereed om erin te klimmen en het luik dicht te trekken als er direct onraad dreigde. Zo ver kwam het niet. De beroering van Dolle Dinsdag ebde weg; de geallieerden bleken toch nog wat verder weg te zijn en het leven werd weer 'gewoon'. Ik vond een en ander echter wel hoopgevend en tegelijkertijd nam de spanning in intensiteit toe. Nu ik het er al zolang zo goed had afgebracht en de bevrijding nabij leek, zou het extra verschrikkelijk zijn alsnog opgepakt te worden.

Op zondagochtend 17 september 1944, toen ik alleen met Kee en de baby thuis was, omdat de rest van het gezin bij de mis zat, brak er een geweldig tumult los in de lucht. Het vliegveld Volkel werd bedolven onder een bommenzee in een pandemonium van een afschuwelijke, beangstigende herrie. Wat later op de ochtend vlogen er laagvliegende geallieerde toestellen, waarvan je soms de piloten als kleine poppetjes in hun cockpit zag zitten, over ons heen. Onvergetelijk, maar nog steeds té ver weg. Op een gegeven moment hing er die dag in de verte naar het noorden toe een groot aantal parachutisten in de lucht. Gaandeweg de ochtend nam het tumult af en bleven de vliegbewegingen in de lucht over. Grote zware toestellen en jachtvliegtuigen.

Zoals ik na de oorlog leerde hadden we te maken met de operatie Market Garden onder leiding van Montgomery en waren wij op een afstand getuige van het bezetten door parachutisten van de Maasbrug bij Grave. Men wilde de bruggen over de grote rivieren in handen krijgen om zo Duitsland als het ware in de rug aan te vallen. We weten nu dat het helaas 'één brug te ver was'.

Het was een overrompelende ervaring Duitse militairen vanuit het westelijk gelegen vliegveld Volkel in de richting van de Duitse grens te zien vluchten. Ze vluchtten met auto's, stonden op treeplanken, reden op fietsen, op paarden, ploeterden met paard en wagen. Geweldig was dat, maar nog steeds eng en gevaarlijk, want het waren en bleven Duitsers.

Op een gegeven moment kwam er een Duitse soldaat aanfietsen. De weg was voorzover ik kon nagaan verder leeg. Ik stond op het erf, onzichtbaar achter een struik van onze omheining en dacht: 'Het is maar een gewone soldaat en dan ook nog in z'n eentje, voor hem hoef ik niet bang te zijn.' Hij zette zijn fiets weg, knielde aan de slootrand en richtte zijn geweer op een zwaar, geallieerd toestel dat beschilderd met sterren op de vleugels en met enkele witte strepen rond de romp, boven ons vloog. De soldaat schoot een keer en vervolgens gebeurde er niets. Het leek me ook zeer onwaarschijnlijk dat hij doel zou raken. In ieder geval pakte hij zijn fiets en ging weer verder. Het deed wat zielig en potsierlijk aan. Zou iemand me kunnen zeggen waar ik aan toe was?

Na verloop van tijd waagde ik me toch van het erf af richting de straatweg, ook al reden er nog steeds groepen soldaten richting Haps en Duitsland. Ze waren niet stoer gekleed, soms blootshoofds en sommigen ongewoon slordig en onverzorgd, heel anders dan ik in Amsterdam gewend was geweest. Ze namen geen notitie van de omstanders. Ik deed, wat achteraf staand, mee met mijn pleegbroertjes. Lachen, spotten, stoer doen, je groot houden en je niet laten overrompelen door de onverwachtse gebeurtenissen van deze ochtend. Later kwam er een ruime, luxe en blinkende personenauto, een cabriolet met neergeslagen kap, aanrijden. In die auto zaten behalve de chauffeur, drie hoge SS'ers. De doodskop op hun pet en de SS-tekens op de revers. Ze zaten, bijna stram, rechtop en in tegenstelling tot de velen die hen voorgingen, keurig in het uniform. Griezelige, enge mannen. Ook zij gingen richting Duitsland.

Toen haalde een van de jongetjes een stomme streek uit. Hij deed alsof hij een geweer aanlegde en op de SS'ers richtte. Hij zou bij wijze van spreken net de trekker overhalen toen de auto met piepende banden remde, twee van de SS'ers over de deurtjes van de cabriolet sprongen en onze richting uitkwamen. Binnen tien seconden was ik vanaf de weg in mijn schuilplaats, volkomen overstuur. Ik kon alleen maar bedenken: 'Als ze me nu te pakken krijgen, schieten ze me ter plaatse dood; alles is dan toch nog voor niks geweest.'

Later, veel later die dag, toen ik het luik weer durfde te openen en ik uit mijn schuilhok kon kruipen, hoorde ik dat Leo, met zijn imaginaire geweer, van een van de soldaten een flinke klap om zijn oren had gekregen en dat beide mannen weer in hun auto waren gesprongen en verder waren gereden.

Het vluchtende leger liet een aandenken achter in de vorm van schurft, waarmee alle gezinsleden en naar ik aanneem vele anderen uit het dorp besmet raakten. Een afschuwelijke aandoening met soms ondraaglijke jeuk tussen de vingers, aan de polsen, aan de hielen. Je stak soms je hand even in het vuur om van de jeuk verlost te zijn. Kort na onze bevrijding werd de kwaal met medicijnen, wat paarsig waterig spul, verholpen door geallieerde verpleegsters.

Na 17 september bevonden we ons gedurende een aantal weken in een onduidelijke situatie. We verkeerden in niemandsland. Er werd niet ver van ons vandaan, in Boxmeer en Overloon, zwaar gevochten. Bewoners uit het nabijgelegen Haps werden, als ik juist ben ingelicht, geëvacueerd. De toevoer van voedingsmiddelen stokte. We aten dagenlang hard roggebrood en aardappels en niemand kon ons vertellen hoe lang dit allemaal zou duren en wat ons perspectief was.

Nog steeds kwamen er nu en dan 's nachts, naar men zei, Duitse konvooien langs, terwijl we er overdag enkele keren getuige van waren hoe geallieerde stoottroepers langs heggen en paadjes slopen. Vale mannen in vale, versleten uniformen, soms zonder soldatenhelm, maar met wollen bivakmutsen over het hoofd getrokken. Bij hen leek angst of uitgeblustheid te overheersen. Net zo uitgeblust als de Amerikaanse infanteristen die in een veel later stadium van de strijd in lange rijen aan beide kanten van de weg langs trokken, dag in dag uit sjokkend, sommigen helemaal vanuit Italië. Ik vond het een triest gezicht.

In onze naaste omgeving werd het allengs rustiger. Verderop in zuidoostelijke richting werd nog hevig gevochten en klonk onafgebroken het geluid van alle mogelijke vuurwapens zoals mitrailleurs, kanonnen en geweren.

Begin oktober klungelde ik wat rond het huis en dacht ik het vertrouwde gebrom en gedreun van tanks te horen. Ik zag door de boomgaard op de weg grijze voertuigen, die stilhielden en ik riep opgewonden naar binnen: 'De Moffen komen weer terug, de Moffen komen weer terug.' Maar ik had het mis: achter onze boomgaard, op de doorgaande weg van St. Hubert naar Haps, stond bij een kleine boerderij een verkenningspatrouille van de Prinses Irenebrigade in brencarriers, Nederlandse soldaten, die door de boerin gul onthaald werden met boterhammen.

Ik had het dus gered, maar ik besefte op dat moment ook dat ik de enige overlevende van mijn gezin zou zijn. En dat was verdrietig. Ik moest huilen zowel uit weemoed als van blijdschap. Zo jong als ik was zwoer ik voor mezelf een eed: Dat nooit meer! Wat er ook zou gebeuren in mijn leven of in de maatschappij: Dat nooit meer! Ik moet alles inzetten om een herhaling van deze oorlog te voorkomen.

Na deze verkenningsgroep van de Irenebrigade werd het weer dagenlang stil in de directe omgeving, maar toen begonnen geregelde geallieerde troepen binnen te stromen. Mijn bevrijding was definitief.

Deel II

Brabant:
medio oktober 1944 – september 1945

Mijn bevrijding:
sensatie en neerslachtigheid

Door de bevrijding vond er in mijn leven een omkering van perspectief plaats. Moest ik me in de afgelopen jaren verbergen en enorm alert zijn voor de houding en het gedrag van mijn medeburgers, nu kon ik me vrij op straat bewegen en hoefde ik geen verantwoording af te leggen voor mijn aanwezigheid en bestaan. Ik hoorde bij het gezin van Janus en Kee. Klaar.

De periode van half oktober 1944 tot januari 1945 was sensationeel door de enorme dynamiek van het militaire bedrijf waarin we waren opgenomen. Behalve het nabijgelegen vliegveld Volkel, dat nu dienst ging doen als basis voor jachtvliegtuigen, de Spitfires, werd iedere vrije plek in de bossen, op de hei en rondom de woonhuizen ingenomen door militaire mobiele apparatuur, kantoren, geschut, opslagplaatsen, generatoren, bulldozers, keukententen, rijen vrachtauto's, tanks, brencarriers, amfibievoertuigen, benzineopslagplaatsen, latrines, stafcentra, administratie, communicatiediensten, enz. In de lagere school werd een hospitaal ingericht. Bovendien werden in vrijwel alle huizen militairen ingekwartierd, de officieren in de duurdere villa's. Zelfs in ons vervallen huisje werden drie Engelse militairen op de vliering gelegerd naast onze slaapplaatsen. Hun taallessen waren wel aan ons besteed en zorgden voor grote hilariteit met als toppunt het woord *mouth*, uitgesproken met je tong tussen je tanden; nou ja! Het nabijgelegen Mill werd een z.g. Leave Centre, waar soldaten van de nabije fronten even op adem konden komen. Er vonden in die tijd nog steeds zware gevechten plaats met de Duitse troepen die tussen de Maas en de corridor naar Arnhem waren gelegerd.

Ik liep dus rond, werd eind oktober 14 jaar en vroeg me af hoe het nu verder met mij moest. Het was voor mij vanzelfsprekend dat ik zou gaan bijdragen aan het gezinsinkomen. Dat deed ik korte tijd in de illegale handel op de zwarte markt. Janus en ik trokken er 's avonds in het donker samen op uit naar Mill. Ik was een klein mannetje en droeg een wijde lange broek met de pijpen in mijn sokken gestopt en de broekzakken losgetornd. Zodoende werd ik een 'mobiele opslagplaats' voor pakjes sigaretten en repen chocola die we ruilden voor wat eieren of ander door soldaten gewild spul. Het stelde niet veel voor. Janus verkocht onze 'buit' en dat leverde wat inkomsten op. Later drong het tot me door dat we met ons gedrag de frontsoldaten dupeerden, want wat in mijn broekzakken verdween kon niet doorgezonden worden. Als je betrapt werd, wist je dat er streng zou worden opgetreden. We wilden dat risico niet langer lopen en stopten daarom met onze handel.

Een volgende onderneming bestond uit het snijden van harde banden uit een enorme rubberen band, nog iets groter dan een tractorband, die niet zo ver van onze woning langs de weg lag. Echte luchtbanden voor de fiets waren al tijden nergens meer te krijgen. Mensen fietsten dus of op hun velgen of met stevig materiaal om de velg. Hard rubber was daarvoor ideaal materiaal. Janus en ik moesten samen die kolossale band thuis zien te krijgen, zonder eronder verpletterd te worden. We konden hem met moeite overeind sjorren en door hem in evenwicht te houden naar huis rollen. Waarschijnlijk door de grote inspanning kregen we op een gegeven moment de slappe lach, maar we moesten wel doorgaan met het sjorren en duwen, al liepen de tranen over onze wangen. Toen de band op het erf lag, moest er materiaal komen om het te bewerken en er repen band uit te snijden. We hoefden niet lang te zoeken. We wisten in een afgelegen stukje bos een gereedschapskeet van de Heidemij te staan. Ik ging daar inbreken en haalde weg wat we nodig hadden. Toen ik enkele dagen later nog eens ging om onze verzameling gereedschap aan te vullen, werd er door een onzichtbaar iemand met een geweer in mijn richting geschoten. Was het een Duitse sluipschutter of iemand die me op dat moment niet in zijn omgeving kon dulden? Ik zal het nooit weten en ik wist niet hoe snel ik zigzaggend het bospad weer terug moest rennen.

Janus kon dus volop voort met het snijden en verkopen van harde banden. Maar wat kon ik gaan doen? Boer Fransen zocht een dagloner om maïs te plukken. Hij vroeg Janus voor dat karwei en die schoof het door aan mij. Het ging om een bescheiden veldje. Stengel voor stengel brak ik de kolf af en wierp die in een mand. Een vredig en rustig werkje. Het veldje grensde aan het erf en op het erf stond een grote tent met een enorme keukeninstallatie. Er werd o.a. heerlijke cake uit blik opgewarmd en ik stond er af en toe bij te watertanden. Ik probeerde een stukje van dat heerlijks los te krijgen door medelijden op te wekken: 'My parents were killed', waarop de kok zei: 'Ai, ai', maar hij was niet te vermurwen en toen ik een keertje een kruimeltje pikte werd ik voorgoed van de tentingang weggestuurd. In de stal stonden schragen tafels en daarop stafkaarten. Soldaten waren met elkaar in overleg en bezig lijnen te trekken. Na een aantal dagen was mijn klus bij boer Fransen gedaan.

Eind oktober kwam Janus in contact met een vertegenwoordiger van de Heidemij en die bood werk aan op het vliegveld Volkel. Tussen de ruïnes van de kapotgeschoten gebouwen, de landings- en taxibanen en de parkeerplaatsen voor de Spitfires lagen velden vol consumptieaardappels die nog door de Duitsers, of op last van de Duitsers, waren gepoot. Die aardappels waren hard nodig voor de voedselvoorziening en moesten nodig uit de grond. Janus zou de aardappelen uit de grond steken en ik zou ze rapen. We kregen een kwartje per are. Hard aanpakken dus en vroeg op. Om 6 uur zaten we al op de fiets (met harde banden) op weg naar het vliegveld, tien kilometer verderop. Het werk vond ik vrij zwaar en eentonig, maar de hele context waarin we werkten was uitermate enerverend. Het begon er al mee dat het Duitse leger met regelmatige tussenpozen vanuit het Reichswald achter Cuijk en Groesbeek een granaat afvuurde in de richting van het vliegveld. Al fietsend hoorde je een doffe dreun achter je en dan wist je genoeg. Goed luisteren en dan even later een wat fluitend geluid boven je, alsof er een koppel fazanten overvloog. Zo lang je dat geluid hoorde kon je doorfietsen; stopte het echter, dan moest je als de bliksem op de grond gaan liggen, want dan kon het projectiel in de buurt inslaan en hopelijk niet op jou. Zoiets went. Een beetje.

Op het vliegveld werkten we bij een parkeerplaats voor twee vliegtuigen. Van tijd tot tijd gaf dat een enorme herrie als men de motoren liet warmdraaien. Een keer kwam een toestel vol met kogelgaten in de romp terug en moest de piloot door de verplegers voorzichtig uit zijn cockpit gehaald worden. Dat was schokkend.

Ronduit overrompelend was de ervaring van het oversteken van de oprit naar de startbaan op weg naar onze werkplek of naar huis. Op tijden dat er een offensief gaande was, gingen direct na elkaar, twee aan twee tientallen jagers de lucht in. Dat veroorzaakte zo'n stormkracht dat we met moeite achter de toestellen en de startbaan langs konden lopen. Het was een magnifiek gezicht om van een afstand die toestellen de lucht in te zien gaan. Van veiligheidsvoorschriften hebben we nooit iets vernomen. Je moest maar uitkijken waar je kon lopen.

Net als in onze woonomgeving waren ook op Volkel alle voorzieningen en behuizing mobiel. Het personeel, zoals de onderhoudsmonteurs, verkeersleiding, verdediging, huisde, ook in de strenge winter van 1944-1945, in kampen van sheltertjes rondom het vliegveld.

In de loop van november, toen de nachtvorst begon, werd het aardappels rapen, dat je alleen met blote handen kon doen, te zwaar. Janus vond werk voor me als krantenjongen voor *De Gelderlander*, een avondkrant. Ik kreeg een cent per krant per dag, zes dagen in de week, en een dubbeltje per incasso voor een kwartaalabonnement. Ik begon mijn krantenloopbaan bij het administratiekantoortje van Kees van H. in Mill. Kees runde het agentschap van de krant voor het rayon Mill en St. Hubert, schreef brieven op verzoek van analfabeten, vulde formulieren in e.d. Ik kreeg een 'portefeuille' van 170 abonnees, wist dat aantal over de hele gemeente Mill en St. Hubert uit te breiden tot 700 en Janus nam het agentschap van de krant over. Ik verdiende dus, afgezien van de extra inkomsten van de incasso's, vast zeven gulden per dag en dat maal 6 is f 42 per week. Voor die tijd voor 'ons soort mensen' een vorstelijk inkomen. Half november 1944 begon ik ermee en tot mijn terugkeer naar Amsterdam begin september 1945 bleef ik het 'krantejudje'. Dagelijks reed ik ruim 40 km op mijn harde banden. Gelukkig deelde eind november het Rode Kruis wat winterkleding uit: een pilobroek, een groot stevig colbert met zeer lange mouwen en een winterjas. Ik droeg een overhemd dat van onverslijtbare parachutestof was gemaakt.

Achteraf, vele jaren later, begrijp ik niet goed waar ik de vitaliteit en energie vandaan haalde om door weer en wind, sneeuw en ijzel en over modderige paadjes de dagelijkse tocht te volbrengen. Het was iets waar ik in die tijd absoluut niet bij stilstond, ik deed het gewoon.

Toen de militairen nog volop aanwezig waren had ik onderweg veel afleiding; er was zo veel ongekende techniek te zien. Half december 1944 werd het echter erg stil. Het Ardennenoffensief, een plan van Hitler en von Rundstedt, die naar de haven van Antwerpen wilden doorstoten, eiste alle geallieerde capaciteit op. En ondertussen fietste ik door op mijn dagelijkse ronde van ruim 40 km, dag na dag.

In die strenge winter raakte onze brandstof op, en nogmaals kozen we voor de Kerstdagen het dievenpad. We wisten in het schuurtje van de rijke dames v. K. een stapel slam, kolengruis, te liggen en dat hebben we naar ons huis getransporteerd. Tijdens de beide Kerstdagen stond ons kacheltje roodgloeiend. De overige tijd zochten we wat brandbaars langs de weg en hulden we ons in dekens. Ook voedsel was schaars en soms te duur.

Ik herinner me levendig de oudejaarsnacht van '44 op '45. Na een stille avond, met nauwelijks kanonnengeluid, brak er klokslag 12 uur een pandemonium van geschutsvuur los, waaronder mooie gekleurde spoorzoekmunitie. Dat hield naar mijn gevoel uren aan. We vroegen ons af of er een nieuw geallieerd offensief was begonnen in een poging over de Maas te komen.

Eind januari, begin februari 1945 was het Ardennenoffensief definitief afgeslagen. Het bleek een volstrekt zinloze operatie te zijn geweest van het verliezende Duitse leger. Het heeft echter aan beide kanten veel militaire slachtoffers geëist. Ondertussen fietste ik maar door, de ene dag na de andere.

Toen het weer milder werd en het voorjaar aanbrak leek het oorlogsgeweld in onze contreien definitief voorbij. Mill bleef echter nog geruime tijd een militair centrum. Soms trof ik op mijn route in het dorp bij het station, achter wat geïmproviseerde hekken, groepen Duitse krijgsgevangenen aan. Ik bekeek ze van grote afstand en bleef ver uit hun buurt. Ik vond ze nog altijd eng en gevaarlijk en onverdraaglijk.

Een nieuwe sensatie in het vroege voorjaar was de inzet door de Duitsers van hun geheime wapens: eerst de V-1, later de V-2. Ze werden hemelsbreed niet zo ver van ons afgevuurd en, naar ik meen, gericht op Antwerpen en Londen. Ze maakten een enorm lawaai zoals dat van de latere straaljagers als die laag overkomen. Overigens bleek de V-1 een onbetrouwbaar wapen, want hij kon er in zijn vlucht zomaar mee stoppen en met zijn explosieve lading recht naar beneden vallen. Je hoorde de raketten of projectielen pas laat aankomen en soms helemaal niet. Pas boven je hoofd wist je dat er een overvloog. Het overkwam mij eenmaal tijdens het rondbrengen van de krant aan de rand van het dorp dat ik tegen de grond gekwakt werd en er een enorme knal volgde. Ik moest wat glas van gesprongen ruiten afschudden, maar mankeerde niets. Het bleven enge onvoorspelbare dingen.

In het latere voorjaar ben ik op een zondag nog een keer naar mijn onderduikouders in Tienray gefietst om te laten zien dat ik de oorlog had overleefd. Het contact bleef afstandelijk en sindsdien ben ik daar nooit meer geweest. Ik was tijdens die fietstocht onder de indruk van de vernielde huizen, de kapotte daken, kapotte wegen, stukgeschoten, geknakte bomen enz.

Ook kwam in dat zachte en soms warme voorjaar opnieuw langzaam, maar steeds indringender de vraag bij me op: hoe moet het nu verder met mij? Het noorden boven de rivieren en dus ook Amsterdam was nog steeds bezet gebied.

In de loop van de tijd ging ik op zondagochtend mee naar de mis. Al waren mijn pleegouders niet streng in de leer, ze namen uiteraard wel deel aan de katholieke liturgie. Dat wekelijkse uurtje van de mis was in die tijd een geestelijk eiland. Ik genoot van de gregoriaanse muziek, prachtig gezongen door het koor van amateurs. Het werden mystieke ervaringen waarin ik wegzweefde uit de werkelijkheid van alledag. Een volgende stap was dat ik katholiek wilde worden en dat bracht mij in contact met pastoor Brekelmans. Hij ontving me in de huiskamer van zijn woning en dat was een belevenis op zich: weer een kamer gestoffeerd met zeil en een kleed op de vloer, een kleed op tafel, meubels zoals ik die van thuis kende, kortom, de inrichting van een burgermilieu, een echo van mijn verdwenen thuis in Amsterdam.

Pastoor Brekelmans was een warme, integere, vaderlijke man en hij stelde voorop dat van dopen geen sprake kon zijn, zolang niet bekend was of mijn ouders nog leefden. Immers, zij zouden hun toestemming moeten verlenen voor een eventuele doop. Maar wel wilde hij met mij de kleine catechismus instuderen. Hij gaf me het boekwerkje mee en wekelijks mocht ik langskomen om mijn vorderingen te tonen. Maar pastoor Brekelmans deed veel meer: hij bood mij een geestelijk tehuis en ik genoot van die contacten.

Toch konden die contacten mijn opkomende neerslachtige gevoelens niet wegnemen. Mijn toekomst en mijn positie waren te onbestemd. Ik geloofde niet meer in een hereniging met mijn ouders en broer en al die anderen. Ze waren weg, maar waar waren ze gebleven? Op een gegeven moment verzocht het Rode Kruis mij mijn persoonsgegevens op te geven. Daardoor kwamen mijn naam en adres terecht op een lijst die tot in Amerika ging circuleren.

En toen kwam de 5^e mei 1945, de dag waarop de Duitsers in ons land capituleerden. Als ik het me goed herinner hoorde ik het nieuws op een vrijdag aan het eind van de middag. De capitulatie riep bij mij gemengde gevoelens op: enerzijds vreugde omdat de ellende nu overal in ons land voorbij zou zijn, maar ook weer en nog sterker de vraag: hoe moet het nu verder met mij?

In juli of begin augustus kreeg ik een telegram van mijn oom in Amerika. Hij vroeg mij wie er nog in leven waren en zegde de zending van een pakketje toe. Enige dagen later kwam er een telegram van mijn oom in Londen. Op zich wel fijn, maar zij waren wel erg ver weg. Ook toen ik nog thuis in Amsterdam woonde waren ze ver weg. Ze woonden toen als diamantairs in Antwerpen.

Ondertussen fietste ik verder, bracht mijn centjes in, leefde op goede voet met mijn pleegouders en hun kinderen, maar ik kon er niet toe komen hun mijn vraag over mijn toekomst te stellen. Wellicht was mijn terughoudendheid onterecht, maar ik deed het niet, en bleef daarin alleen en aan mezelf overgeleverd.

Op een mooie warme zomerdag kwam ik terug van het rondbrengen van de krant en trof geheel onverwacht mijn tante Jet aan. Ze was vergezeld van tante Esther, haar zuster, die de onderduik dus ook had overleefd. Ik voelde me geconfronteerd met een volstrekt andere wereld, waar ik niet goed raad mee wist. Bovendien werd het contact met hen bemoeilijkt omdat ik nog alleen maar een plat Brabants dialect sprak. Iets dat zij wel grappig vonden. Ik was een andere jongen geworden, heel anders dan het beeld dat ze nog van me hadden. Ze zagen er iel en vermagerd uit, maar waren lacherig en blij. Ze vertelden dat ze mijn naam en adres hadden gevonden op een Rode-Kruislijst die bij het Centraal Station hing en dat ze al liftend op vrachtwagens en trucks de reis naar St. Hubert ondernomen hadden. Ze schaterden toen ze vertelden hoe ze op een truck gezeten, plotseling met hun benen in de vrije ruimte bungelden als de wagen een scherpe bocht nam.

Voor hen stond het vast dat ik weer naar Amsterdam zou terugkeren. Maar ik wist dat op dat moment nog niet zo zeker. Want naar wie zou ik dan toegaan? En zou ik Janus en Kee, die deels op mijn inkomen teerden, zomaar in de steek kunnen laten?

Besloten werd dat ik aan het Militair Gezag, dat het bestuur in onze contreien uitoefende, toestemming zou vragen een keer naar Amsterdam te reizen en dan verder plannen te maken.

Beide tantes verdwenen weer naar huis en enige tijd later ondernam ik de reis naar Amsterdam. Het was een lange en bizarre reis, doordat de hele infrastructuur was vernield. Ik mocht met iemand achter op de motor mee naar Grave, daar ging een vrachtwagen met open laadbak naar Nijmegen. In Nijmegen vond ik in een trein die naar Amsterdam zou gaan een plaatsje in een goederenwagon met banken. Bij Arnhem staken we via een door militairen aangelegde spoorbrug de Rijn over, langs de oude Rijnbrug die, in het midden geknakt, deels onder het wateroppervlak lag. De reis ging met horten en stoten: een stuk rijden, een tijd stilstaan. Rondom Arnhem waren veel verwoeste huizen.

In Amsterdam aangekomen liep ik naar tante Jet in de Biesboschstraat. Uiteraard reden er nog geen trams, ook rails en bedrading waren kapot. Er was beperkte stroomvoorziening. We spraken af dat ik begin september definitief naar Amsterdam zou komen en dat tante Jet mij in haar huis zou opnemen. Ze wilde mij helpen en ze handelde uit piëteit jegens mijn vader, haar broer Maurits. Gek genoeg herinner ik me verder niet zoveel van die episode. Ik zal wat verdoofd geweest zijn. Ik reisde terug naar St. Hubert en stapte weer op de fiets.

Begin september 1945 nam ik afscheid van mijn pleeggezin na er ruim een jaar te hebben doorgebracht. We spraken af contact met elkaar te houden. Ik identificeerde me toen meer met mijn pleegmilieu dan met het milieu van tante Jet in de grote stad. We hielden inderdaad nog een tijd contact, maar door mijn middelbareschooltijd en mijn aanpassing aan de stad groeiden we te veel uit elkaar. Het contact hield op. Achteraf vind ik dat spijtig.

Deel III

Mijn leven na de oorlog

1. September 1945: Terug in Amsterdam
In huis bij tante Jet, school, opleiding en werk

Ik keerde na een rommelig en traag verlopen reis over slechte wegen en kapotte bruggen terug in een naoorlogs, bevrijd Amsterdam. Met een vrachtauto kon ik meeliften naar de Rustenburgerstraat in de Pijp en vandaar liep ik naar tante Jet in de Biesboschstraat. Onderweg kwam ik mijn vroegere, niet-Joodse buurvriendje Sjors tegen. Hij was enthousiast me te zien, maar ik reageerde lauw. Ik werd overdonderd door de ontmoeting, had net de reis achter de rug en voelde de druk van de ongewisse situatie waarin ik me nu bevond. Hij wilde dat we elkaar gauw weer zouden ontmoeten, maar voor mij was dat eigenlijk veel te snel. We zagen elkaar inderdaad weer, maar de sfeer van voor de oorlog was weg.

Amsterdam was grauw en kaal, het weer was grijs en mijn stemming was navenant. Ik liep de Pijp uit waarvan de meeste woningen een vervallen indruk maakten. Er was nauwelijks gemotoriseerd verkeer. Vanuit het gammele huisje met zijn boomgaard en de vrije velden in Brabant belandde ik in een smalle straat achter het Merwedeplein. Via een portiek met zijn hoge stenen trap kwam ik bij de voordeur van tante Jet. Daarna weer twee trappen op naar driehoog en vervolgens kwam ik in de keurige voorkamer. Ik kende de kamer nog van vroeger, van verjaardagsbezoeken, maar die leken eeuwen geleden. Ik ging zitten op een stoel naast het buffet, mijn wereld was niet veel groter dan de zitting van die stoel. Er stond van alles in de kamer aan meubels en snuisterijen. Er lag vloerbedekking, er hingen vitrage en gordijnen voor de ramen en er hingen schilderijtjes aan de muur. De gesloten schuifdeuren gaven toegang tot de achterkamer. Ik keek gelaten van het ene voorwerp of meubel naar het andere. De kleuren waren overwegend donkerbruin. Tante Jet was in gesprek met andere mensen, maar ze leken allen ver weg; als het ware achter een troebel scherm.

Ik kan me niet herinneren hoe die eerste dag verder is gelopen, trouwens evenmin de dagen daarna. Ik miste te veel mensen en de overgang van Brabant naar Amsterdam was erg groot en abrupt. Ik voelde me niet blij en ook niet bevrijd, al hoefde ik niet meer bang te zijn voor mijn medemensen. Mijn bevrijding was het verlost zijn van het geestdodende fietsen met de krant. Ik was schuw en teruggetrokken. Het doffe gedeprimeerde gevoel dat zich in het voorjaar in mij had genesteld kwam weer terug. Latere bevrijdingsfeesten zouden langs mij afglijden.

Er was echter een incident dat me goed is bijgebleven. Op zekere dag werd er gebeld en Mautje, een neef van vaderszijde, kwam de trap op. Ik liep hem enige treden naar beneden tegemoet en omhelsde hem, ik smoorde hem bijna. Heel even had ik een intens gevoel van blijheid, van euforie, alsof mijn broer Gerrie voor me stond. Mautje voelde zich overdonderd en weerde me af en ik besefte mijn illusie en keerde terug tot de werkelijkheid. Hij was Gerrie niet. Toch was ik blij Mautje te zien. Iemand uit mijn leven van vroeger, van ver voor de oorlog. Bovendien maakte hij indruk op me met zijn pilotenuniform van de Royal Air Force. Mautje was toen de oorlog uitbrak in koloniaal Frans-Afrika en had in 1942 in Engeland dienst genomen bij de luchtmacht. Hij informeerde naar de familie, dronk een kopje nepkoffie en verdween weer. Hij was in Engeland getrouwd met Mabel en kwam in de loop van 1946 in Amsterdam wonen, waar ik hen vaak bezocht.

De woning van tante Jet bevatte behalve de kamer en suite en de keuken, een slaapkamer van oom en tante en een kleinere kamer van mijn nicht Yonne. In het trappenhuis voerde een trap naar de zolderetage. De zolder van tante Jet lag aan de voorkant van het pand. Hij was 6 meter lang en ongeveer 2 meter breed. Een zolderraam zorgde voor daglicht. Er stonden kisten en dozen met spullen die door ondergedoken of gedeporteerde familie in bewaring waren gegeven. Die zolder werd mijn slaapplaats. Mijn matras lag onder het zolderraam op een lange kist. Mijn weinige bezittingen kon ik kwijt op andere kisten. Een jaar later kon ik naar de kamer van Yonne verhuizen, die na haar huwelijk een eigen onderdak kreeg.

Tante Jet was 53 jaar en oom Kees 61 toen ik bij hen in huis kwam. Tante had de oorlog overleefd dankzij haar gemengde huwelijk. Yonne was verpleegster, intern in het Wilhelmina Kinderziekenhuis, maar had thuis dus nog haar eigen kamer. Oom en tante waren wat oud en een tikkeltje beklemmend. Liever was ik in een pleeggezin met jonge ouders en kinderen gekomen. Maar er was geen keuze.

Bij tante Jet was ik niet langer de 'volwassene', die ik in Brabant was, maar werd ik weer een kind, een schoolkind, een puber, die zich moest onderwerpen aan de eisen van zijn opvoeders, zoals tante Jet en de leraren van de middelbare school. Maar ik was ook een kind, dat op zijn 12e jaar van de ene dag op de andere zijn huis, ouders, broer en zijn sociale omgeving had verloren. Van meet af aan stond daarom voor mij echter één ding vast: tante Jet moest niet denken dat ze enig gezag over me zou kunnen uitoefenen. Ze was mijn vader niet, ze was mijn moeder niet en ze zou hen ook nooit kunnen vervangen. En met deze houding was tussen ons de stemming voor de komende jaren bepaald. Niet dat we ruzie maakten, maar de verhouding liep stroef.

De relatie met oom Kees was vriendelijk, maar neutraal. Als hij in normale doen was, was hij een aimabel mens, een verwoed lezer en een liefhebber van klassieke muziek, dingen die mij aanspraken. Hij was echter psychisch niet helemaal gezond en hij kon om futiliteiten in woede uitbarsten. Zijn uitvallen waren ook weer snel over. Begin 1947 ging zijn psychische toestand echter dermate achteruit dat een opname in een psychiatrische inrichting onafwendbaar werd en dit bleef zo voor de rest van zijn leven. Ik bezocht hem nu en dan.

De lege plek in huis werd echter snel opgevuld met het beredderende en dienende werk van tante Jet. Ze ontfermde zich bijvoorbeeld over de opgroeiende pubers van een vriendin aan wie ze pedagogische adviezen gaf. Ze steunde ook haar goede en trouwe vriendin tante Alie, die een verdieping onder ons woonde. Een lieve, hartelijke vrouw.

Kort na mijn terugkomst kwam op een avond een handjevol familieleden dat de oorlog had overleefd bij elkaar. We zaten om de tafel, maar ieder was, volgens mij, wat afwezig en bezig met de eigen gedachten. We vertelden allemaal ons verhaal, maar niet uitvoerig en zonder emotie. We luisterden niet echt naar elkaar. Bovendien:

'Wat hadden wij nou helemaal meegemaakt. Wij hebben niet eens in het kamp gezeten.' Dit gesprek vond plaats tegen een maatschappelijke achtergrond waarin de oorlog geen rol meer 'mocht' spelen. Het was voorbij, ieder moest vooruit, de brokken bij elkaar zoeken en de boel weer opbouwen. Ik voegde me naar die mentaliteit. Het was zinloos terug te blikken en ook ik moest het normale leven weer oppakken.

Des te triester was het dat neef Andries, de enige van de familie die uit het kamp, Bergen-Belsen, terugkwam, door de familie nagenoeg werd uitgestoten. Hij zou tante Jet ervan beschuldigd hebben dat zij tijdens zijn afwezigheid spulletjes van hem had verkwanseld. Tante Jet was daarover hevig gepikeerd. Misschien had Andries wel gelijk, in ieder geval zag ik spullen van mijn ouderlijk huis in gebruik bij anderen, maar ik liet me daarover niet uit, al vond ik het wel een beetje schrijnend. Ze had het toch aan me kunnen voorleggen, want op zich had ik er geen bezwaar tegen.

Andries werd niet uitgenodigd voor het huwelijk van zijn nicht Yonne. Was hij misschien de verkeerde persoon die uit het kamp teruggekomen was? En was zijn terugkomst wel zuivere koffie? Want hoe overleefde je zo'n hel? Ik vond de bejegening van Andries wreed. Om een conflict met de familie hierover te vermijden nam ik openlijk geen standpunt in, maar in wezen had ik geen problemen met hem. Ik vond hem eigenlijk wat zielig en als ik hem tegenkwam maakten we een praatje.

In die dagen onderging ik de dingen zoals ze kwamen. Ik paste me zo goed en zo kwaad mogelijk aan en vermeed confrontaties en conflicten. Mijn innerlijke leven was onbespreekbaar. Er was ook geen aandacht of begrip voor. Ik was een gespleten mens: redelijk tot goed aangepast aan de buitenwereld van gezin, straat, school enz., maar innerlijk eenzaam, verweesd en neerslachtig.

Tante Jet richtte zich in haar opvoeding vooral op mijn verzorging en mijn maatschappelijke ontwikkeling, vooral op mijn schoolprestaties. Zij was niet godsdienstig en hield zich zelfs niet meer aan Joodse tradities. Mijn aanvankelijke wens katholiek te worden werd resoluut door haar afgewezen en vrij snel na mijn terugkeer in de stad doofde mijn verlangen daartoe uit. Ik heb dat nooit betreurd.

Onze gesprekken gingen over zakelijke of huishoudelijke dingen. Mocht ik zelf mijn ondergoed uit de kast halen? Nee. Alleen zij mocht dat doen. Een houding waaraan ik me nu en dan flink kon ergeren, maar ik hield me in. Echt goed op de kast kreeg tante Jet me als ze me aansprak met 'meneertje'. 'Ja, meneertje, nu moet jij eens even goed naar mij luisteren, jij denkt dat je het altijd beter weet, maar…', en dan kwam er weer iets betuttelends.

In september 1945, bijna 15 jaar oud, ging ik weer voor het eerst naar school. Ik hoefde het gemiste onderwijs uit de klassen 5 en 6 (nu groepen 7 en 8) van de lagere school niet in te halen en werd zonder toelatingsexamen toegelaten tot de HBS. Onze klas bestond uit louter jongens. We varieerden in leeftijd van 14 tot 18 jaar en vrijwel iedereen had zijn eigen oorlogservaringen, hetzij in Nederland, hetzij in Nederlands-Indië. Er waren timide jongens, branies, relschoppers, brave zielen en enkelen die zich op het randje van criminaliteit en vandalisme bewogen. Ik hield me gedeisd, speelde mooi weer en zorgde ervoor met niemand in conflict te komen.

Het weer in een klas zitten met boeken voor mijn neus heb ik in die voor mij overwegend sombere tijd als iets gelukzaligs ervaren. In de tweede klas wisselde ik van school en kwam in een klas van normalere samenstelling terecht wat betreft leeftijd en het aantal jongens en meisjes. In die klas kreeg ik als buurman in de bank een lange slanke jongen, zeker twee koppen langer dan ik. We werden schoolvrienden en op een avond zouden we naar de eerste filmvoorstelling in Tuschinsky gaan. Hij zei me dat hij een half uur vroeger dan nodig bij mij langs zou komen. Toen we op mijn kamertje zaten zei hij: 'Ik wil je iets vertellen en daarna mag je me wegsturen.' Hij vertelde dat hij sinds de bevrijding met zijn zuster in een weeshuis woonde, omdat zijn beide ouders tijdens de oorlog zwaar fout waren geweest. Ze waren beschuldigd van landverraad en waren geïnterneerd. Zijn vader, een academisch opgeleide man, bekleedde tijdens de bezettingstijd een hoge functie in het stadsbestuur. 'Stuur me nu maar weg', zei Hans. Ik reageerde meteen met de opmerking: 'Waarom wegsturen? Jij bent toch niet verantwoordelijk voor de daden van je ouders. Wij zijn lotgenoten.' Ik meende mijn woorden oprecht, maar met mijn snelle reactie schoof ik wat Hans me vertelde ook meteen weer van me af, ik wilde het niet echt tot me laten doordringen. Ik kan me ook niet meer herinneren hoe Hans verder reageerde. In ieder geval gingen we daarna naar de film.

Met een andere schoolvriend, teruggekeerd uit Bergen-Belsen, trokken we er in de eerstvolgende paasvakantie op uit.

Op school had ik onder meer moeite met Duits, naamvallen, *schwere Wörter*. Tante Jet stuurde me een aantal zaterdagmiddagen naar bijles. De leraar bewoonde met zijn gezin een ruime verdieping aan het begin van de Rooseveltlaan en zijn werkkamer was door schuifdeuren van de huiskamer gescheiden. Als ik op zaterdagmiddag voor bijles bij hem kwam, opende hij altijd die schuifdeuren en in de huiskamer zaten zijn vrouw en dochters te lezen of te handwerken. Hiermee schiep hij een sfeer van huiselijkheid en behaaglijkheid die ik bij tante Jet zo miste. Iedereen in het gezin was jong en de sfeer was rustig en mild. Het riep een gevoel op dat ik diep had weggestopt, maar dat ik herkende als datgene waarnaar ik verlangde. Achteraf besef ik hoe goed deze man mijn situatie aanvoelde en me een sfeer van huiselijkheid en intimiteit probeerde te geven.

Tijdens de schoolvakanties trok ik op de fiets langs jeugdherbergen, soms met een schoolvriend, maar vaak ook alleen. Onderweg kwam ik altijd wel iemand tegen om mee op te fietsen. Tijdens die tochten voelde ik me vrij en ik genoot van de natuur en de landelijke omgeving waar ik door trok. Een wat weemoedige herinnering bewaar ik aan een trektocht in de sneeuw en op glibberpaadjes tijdens de kerstvakantie van 1947-'48, waarbij ik op oudejaarsavond de enige gast was in een lege jeugdherberg.

In het dagelijks leven wist ik me geen houding te geven tegenover meisjes van mijn leeftijd. Ik was erg verlegen en als een meisje blijk gaf van enige belangstelling voor mij blokkeerde ik en trok me terug. Een schoolvriend maakte me attent op Amanda, een knap, slank meisje met een mooie zelfverzekerde houding. Zij was een klasgenote. Hij vertelde me dat Amanda bij hem naar mij had geïnformeerd. Ze zou met me willen omgaan. Ik stond volkomen perplex. Ik kon me absoluut niet voorstellen dat uitgerekend zo'n mooi meisje als Amanda belangstelling voor mij zou hebben. Dat kon niet waar zijn. Ik voelde me een saaie piet, lelijk, onaantrekkelijk en dom. Ik ontweek haar, maar snakte naar contact met haar. Bij wat schuchtere, sensitieve jongens voelde ik me meer op mijn gemak. Ik kon dan een zekere branie aan de dag leggen en een vlotte babbel opzetten. Ik weet nog dat ik een jongen sterk imponeerde door hem de tarieven van prostitueebezoek op de Wallen te vertellen. Volkomen uit mijn duim gezogen, want zelf vond ik die Wallen unheimlich met al die wenkende vrouwen achter het raam. Uit bravoure ging ik wel eens met klasgenoten mee, maar ik hield me altijd op de achtergrond.

In deze jaren werd ik seksueel volwassen. Behalve een wat onduidelijk en kort verhaal van pastoor Brekelmans over volwassen seksualiteit, die 'grote mensen soms prettig vinden', zonder dat hij er precies bij vertelde wat dat dan inhield, had ik geen seksuele voorlichting genoten. Thuis was, zoals ik al eerder beschreef, seksualiteit een beladen onderwerp en daarin kwam na de oorlog bij tante Jet geen verandering. Toen ik eind 1945 op mijn zolder spontaan een zaadlozing kreeg, raakte ik in paniek omdat ik niet wist wat me overkwam. Wat gebeurde er met me? Wat betekende dat 'vocht'? Was ik ziek? Had ik een afwijking? Om mijn angst en onzekerheid te stillen greep ik naar het missaaltje dat ik uit Brabant had meegenomen en achter in een kastje bewaarde. Ik hoopte al doende gevrijwaard te blijven van verder onheil.

Op den duur snapte ik wel wat er aan de hand was, maar emotioneel gesproken bleef mijn seksualiteit een beladen onderwerp. Even beladen als enkele indringende vragen die nu en dan opkwamen: Waarom heb ik de oorlog wel overleefd en de anderen niet? Mag ik eigenlijk wel bestaan? Heb ik mijn vader niet in de steek gelaten door hem in de Schouwburg achter te laten? Hoorde ik geen gevoelens van dankbaarheid te hebben jegens de verschillende onderduikouders aan wie ik mijn overleven te danken had? Ik wilde er het liefst niets meer van weten, er niet aan denken, en ik probeerde mijn oorlogservaringen met alle kracht van me af te zetten. Meestal lukte dat ook wel, geholpen door de tijdgeest, maar tegelijkertijd voelde ik me alleen met al die verwarrende belevingen en gevoelens en bleef ik dromen over een gezin met jonge pleegouders en jonge kinderen, waar ik me gelukkig zou voelen.

Op de momenten dat het verblijf bij tante Jet me te veel ging tegenstaan week ik uit naar Kurt, mijn tien jaar oudere neef, die eveneens door onder te duiken de oorlog had overleefd. Hij kwam uit de familie van mijn moeder. Hij studeerde al voor de oorlog voor arts. Op dinsdagavond kwam hij altijd bij ons thuis mee-eten en toen al voelde ik me tot hem aangetrokken; ik hield van hem en wilde graag in zijn nabijheid zijn. Hij moest echter studeren en mijn aanwezigheid leidde hem te veel af. Als het maar even kon trok ik na de oorlog naar hem en zijn vrouw Bep. Ik genoot daar van de gesprekken over boeken, musici en andere betekenisvolle mensen.

Een dierbare herinnering van voor de oorlog bewaar ik aan tante Fiefie, Kurts moeder. Ik hield van dat milieu dat zo totaal anders was dan dat van thuis. Niet zo gecultiveerd, zo schoon, zo ordentelijk. Tante Fiefie kon mooi pianospelen. Ik trof haar een keer aan achter de wastobbe met schrobbord. Ze stond te lezen in een Duits boek over Johann Sebastian Bach geschreven door Albert Schweitzer. Het boek lag opengeslagen op een grote stapel boeken die op een krukje stond. Zo af en toe ging er wat wasgoed over het wasbord, maar in feite stond tante Fiefie te lezen. Prachtig. Ook zij was voorgoed 'weg'.

Aan het begin van de vijfde klas, de examenklas, rees de vraag wat te doen na het eindexamen. Ik wist niet goed wat ik wilde en wat ik zou kunnen. Ik had vage ideeën over een studie Nederlandse letterkunde, want ik was gegrepen door literatuur. Door mijn slechte schoolprestaties voor de oorlog én door mijn matige prestaties op de middelbare school na de oorlog was mijn vertrouwen in mijn leervermogen echter gering. Ik kon wel wát leren, maar niet zoveel. Vergeleken met veel van mijn klasgenoten beschouwde ik mezelf als dom.

Wat moest ik dus na mijn eindexamen gaan doen? Tante Jet zag in mij een goede kok van een chique hotel en stelde een hotelopleiding voor. Maar dat wilde ik per se niet. Ik voelde ook geen ambitie te gaan werken in de zakenwereld of in het bedrijfsleven. Ik piekerde er niet over om bij oom Karel in New York het diamantvak te leren en bij hem in de zaak te gaan. Ik vond hem een onsympathiek mens; alles draaide bij hem om geld. Kort na de oorlog zond hij me pakketjes met sloffen Lucky Strikesigaretten, waarvan ik er veel weggaf aan een achterbuurvrouw, wier man als verzetstrijder in de oorlog was gefusilleerd. Zij bleef met jonge kinderen achter en dat trof me diep. Toen ik dat een keer aan oom Karel vertelde tijdens zijn bezoek aan Amsterdam barstte hij in woede uit: hoe ik het in mijn hoofd haalde om mooi weer te spelen met zijn sigaretten.

In de examenklas werd ik een keer onder de les bij de directeur geroepen. Hij bood mij een stoel aan en stelde me voor aan de heer C. Meneer C. vertelde me dat hij in de Joodse directie van een groot mode- en kledingbedrijf zat en dat hij voor een filiaal op de Antillen een jongen van Joodse huize zocht om intern tot bedrijfsleider opgeleid te worden. Vraag aan mij of ik daarvoor in aanmerking wilde komen. Ik sloeg het aanbod resoluut af. Het zou niet de wereld zijn waarin ik wilde leven.

Dat dus allemaal niet, maar wat dan wel? Een beroepskeuzetest op het psychologisch laboratorium van de Universiteit van Amsterdam moest uitkomst geven. Twee dagen werd ik door een wetenschappelijk medewerker, die veel later mijn hoogleraar zou worden, psychologisch getest. Op grond van de test werd een universitaire studie pertinent afgeraden, maar een beroepsopleiding voor maatschappelijk werker aan de School voor Maatschappelijk Werk in Amsterdam werd goed haalbaar geacht en goed bij mij passend. Ik had daarop twee reacties: a. ik ben dus inderdaad te dom om echt te kunnen studeren, en b. zo'n opleiding aan die school waarvan ik nog nooit gehoord had, lijkt me leuk. Bij dit alles kwam het goed uit dat ik tijdens de militaire keuring buitengewoon dienstplichtig werd verklaard en dus niet in dienst hoefde. Ik vermoed dat mijn oorlogsverhaal daarbij een rol speelde.

In de nasleep van de oorlog deed zich een aantal juridische en financiële problemen voor. De belastingdienst zond 19 december 1946 aan tante Jet een belastingaanslag voor de inkomstenbelasting die mijn vader nog schuldig zou zijn, d.w.z. men wist op die datum nog niet precies hoeveel belasting hij schuldig zou zijn, maar de belastingdienst stelde zich zeker door op voorhand een bedrag te vorderen, waarmee de belastingschuld zou kunnen worden verrekend. Het schrijven was gericht aan de erven M. Blom en de tekst luidde als volgt:

Op grond van het Besluit Zekerheidstelling belastingen en de resolutie van den Minister van Financiën van 23 juli 1945, no. 58 (Nederlandsche Staatscourant van 26 juli 1945, no. 34), leg ik U de verplichting op om na dagteekening van dit aanslagbiljet ten kantore van den Ontvanger der directe belastingen te Amsterdam (postrekening 4692), een bedrag van vierduizend één honderd gulden (zegge f 4100,--) te storten als zekerheidstelling voor bestaande of toekomstige belastingschulden.

Amsterdam, den 19 december 1946

De helft van het te storten bedrag moet worden voldaan uiterlijk op 31 januari 1947, de tweede helft uiterlijk op 28 februari 1947, De Inspecteur.

Let op de data. Alsof tante Jet het geld zomaar even ergens in de kast had liggen of in een oude sok had zitten. Zij en oom Kees schreven diverse brieven met het verzoek om vermindering van de aanslag en om een ruimere spreiding van de betaling, maar betaald moest er worden, want wet is wet en 'het past ons niet Joden langer te discrimineren door voor hen een uitzondering te maken'. Natuurlijk was er geen baar geld en dat leidde al in januari 1947 tot het leggen van een 'conservatoir beslag' op enkele aandelen uit de komende nalatenschap van mijn vader. In 1949 ten slotte volgde een definitieve belastingaanslag van ruim 900 gulden, waarbij ook de paar maanden van 1943 waarin mijn vader zo goed en zo kwaad mogelijk probeerde zijn bedrijf draaiende te houden, werden meegerekend. Een dergelijk overheidsbeleid straalde een kilte uit waarvan ik lange tijd last heb gehad. Hoorde ik nog wel bij de Nederlandse samenleving? Telde ik nog wel mee? Deed mijn bestaan er nog wel toe?

Ik vond het ook schrijnend en verdrietig dat ik van de overheid c.q. de Raad voor Rechtsherstel, de mooie luxe banketbakkerij, Maison Blom in de Rijnstraat, niet mocht erven. De Raad concludeerde dat onder de 'vermoedelijke' erfgenamen van mijn ouders zich geen personen bevonden om het bedrijf voort te zetten en baseerde zich op het Besluit Reëvacuatie-Vestiging Kleinbedrijf 1945; art. 7 lid 2. Het standpunt was onbespreekbaar.

Na de deportatie van mijn vader werden de winkel en bakkerij met de bestaande inventaris en machinerieën door een Duitse instantie verkocht aan een banketbakker, de heer M. Alleen als mijn vader zelf uit het kamp zou zijn teruggekomen, zou hij misschien aanspraak op de zaak hebben kunnen maken. M. werd wel bij vonnis verplicht mij schadeloos te stellen. Tante Jet ontving in maart 1948 f 5000 voor de inventaris en de goodwill van het bedrijf, zonder vergoeding van de kosten voor rechtsbijstand die ze in verband met deze zaak moest maken en daarmee was deze kwestie voor eens en voor altijd afgehandeld.

Onder politiebegeleiding mocht ik spulletjes onder de winkelruimte in de Rijnstraat weghalen. Mijn ouders hadden die spullen daar verstopt zodat ze niet 'gepulst' zouden worden. Ik weet niet meer met wie ik er heen ging, maar met een handkar togen we op weg en bij de winkel gekomen vorderde de ons begeleidende agent de toegang tot het huis en de kruipruimte. De heer M. stond er wat ongemakkelijk bij, alsof hij niet wist hoe hij moest kijken. Ikzelf wist het in ieder geval niet en vermeed oogcontact met hem. Het was bizar en pijnlijk en het maakte me kwaad om op die manier in mijn eigen huis terug te komen. Sindsdien heb ik er nooit meer een voet binnengezet, ook niet toen het bedrijf ophield een banketbakkerij te zijn en er een ander soort bedrijf in kwam. Van tijd tot tijd kom ik er nog wel langs, maar ik ga altijd aan de overkant lopen.

Op een dag kwam er bericht van Oorlogsherstel, ook een overheidsinstantie, dat ik door de Duitsers geroofde aandelen zou terugkrijgen en dat die aan tante Jet ter hand zouden worden gesteld. Tot mijn grote verbazing moesten ze worden teruggegeven door zusters Augustinessen uit Keulen. De laatsten bij wie ik ze verwacht zou hebben.

Ons huisraad, onze boeken, schilderijen, mijn speelgoed en post-zegelverzameling, mijn schriften met foto's en afbeeldingen van alle mogelijke steden waar ook ter wereld enz., werden 'gepulst' door de verhuisfirma Puls. Deze had een contract met de Duitse overheid om uit de woningen van gedeporteerde Joden in Amsterdam alle huisraad weg te halen. Hiervan komt het werkwoord 'pulsen'. Ik heb van horen zeggen dat het huisraad met binnenschepen naar Duitsland werd getransporteerd en ter beschikking werd gesteld aan uit hun huis gebombardeerde Duitsers.

Met mijn leeftijd van bijna 15 jaar was ik, toen ik bij tante Jet in huis kwam, nog minderjarig en wettelijk dus nog niet handelingsbe-kwaam. Pas op mijn 21^e zou mijn meerderjarigheid ingaan. Omdat er op papier toen nog niet vaststond dat mijn ouders waren omge-komen, moest er voor mij een voorlopige voogdijregeling worden getroffen. Tante Jet kreeg eind 1945 via het Bureau voor Oorlogs-pleegkinderen op de Herengracht (O.P.K.) de voorlopige voogdij en werd daarmee mijn wettelijke vertegenwoordiger. Onze verhouding werd echter naarmate ik ouder werd voor mij bijna onleefbaar. Zij ging er met haar bazigheid en autoritair gedrag bepaald niet op vooruit en ik kon dat steeds slechter verdragen, maar had ook geen verweer.

Op 17 januari 1950 kreeg ik het officiële bericht dat:
- mijn broer Gerrie, geboren 24.05.1922, op 14.06.1943 in Sobibor door gasverstikking om het leven was gebracht;
- mijn moeder Rachel Blom-May, geb. 29.09.1894, op 19.11.1943 in het kamp Auschwitz werd vergast; en
- mijn vader, Maurits Blom, geb. 21.09.1894, op 16.07.1943 in Sobibor door gasverstikking werd vermoord.

Moeder was op 17 september 1943 vanuit het Weesperpleinzieken-huis, voorheen De Joodse Invalide, overgebracht naar het kamp Westerbork van waaruit ze kort voor 19 november werd gedepor-teerd. Op grond van die Rode Kruisgegevens gaf de notaris een ver-klaring van erfrecht af.

In mei 1950, toen ik 19 jaar was, werd bij beschikking van de Arrondissement Rechtbank te Amsterdam de definitieve voogdij geregeld. Ik kwam onder voogdij te staan van de Stichting Hulp aan Oorlogspleegkinderen in de Vondelstraat. Na mijn eindexamen in juni 1950 mocht ik tante Jet verlaten en op kamers gaan wonen. Ik verbrak toen mijn relatie met haar en kon zonodig terugvallen op Nico B., een medewerker van de voogdijvereniging.

In de loop van de jaren zestig trad de z.g. Wiederguttmachungs-regeling in werking in het kader van de Duitse herstelbetalingen aan Nederland. Die Wiederguttmachung was bestemd voor mensen die, zoals ik, familie en/of huis hadden verloren door de Jodenvervol-ging. Ze bestond uit een geldelijke vergoeding. Het te ontvangen bedrag werd bepaald door het aantal punten voor ieder vermoord gezinslid bij elkaar op te tellen. Mijn score kwam uit boven het maximum aantal beschikbare punten. Alsof het leven van mijn gezinsleden in geld was uit te drukken. Ik heb het geld echter niet geweigerd.

De puntentelling met betrekking tot het aantal omgekomen gezinsleden berustte op het werk van het Rode Kruis.

In september 1950, ik was bijna 20 jaar, begon ik mijn opleiding voor maatschappelijk werker aan de School voor Maatschappelijk Werk in de Pieter de Hooghstraat. De toelating tot de opleiding was niet vanzelfsprekend. Ik moest eerst door een soort screeningdag, waarop de uiteindelijke selectie voor toelating plaatsvond. Het werd een spannende, maar ook erg leuke dag. Er waren ongeveer vijftig aspirant-leerlingen. Ik heb veel gelachen, maar voelde ook een zeke-re schroom: zou ik in het gezelschap van medecursisten en docen-ten passen?

De school voor Maatschappelijk Werk was een modern georiën-teerde opleiding, die bewust afstand had genomen van liefdadigheid of charitatief werk. Men liet zich leiden door humanistische begin-selen en ook wel christelijk-socialistische waarden.

Ik stond aan het begin van een periode waarin vrijwel alles wat ik leerde nieuw voor me was, zoals psychologie, sociologie, familie- en arbeidsrecht, methoden van gespreksvoering enz. Ik werd in het bij-zonder gegrepen door het vak psychiatrie en droomde van een toen voor mij volstrekt onbereikbare carrière als psychotherapeut. Tijdens die opleiding werd het onbeschadigde gedeelte van mijn persoonlijkheid sociaal en cultureel diepgaand gevormd.

Onze eerstejaarsgroep telde vijftig leerlingen onder wie slechts zeven mannen. Veel leerlingen kwamen uit gegoede middenstands- of intellectuele milieus. Tegen de meeste van hen keek ik op en ik voelde me nooit helemaal bij hen op mijn gemak. Ze straalden een vanzelfsprekendheid van bestaan en maatschappelijke positie uit, waarmee ik me, zo oordeelde ik zelf, niet kon meten. Wie was ik? Wat stelde ik voor?

Niemand van mijn medeleerlingen gaf aanleiding tot mijn negatieve oordeel. Iedereen ging normaal en met respect met mij om. Ik was deel van de groep. Mijn oorlogsverleden speelde voor mijn medeleerlingen geen enkele rol, we deden allemaal ons best en waren zeer gemotiveerd. Ik studeerde hard en overwegend met groot plezier.

In het voorjaar van 1951 hadden we een intensieve en geslaagde werkweek in het huis van de Woodbrookers te Bentveld. We boften met prachtig weer. Het was een week waarin ik loskwam van mijn lastige verleden. Ik fietste dan ook met een zekere weemoed terug naar Amsterdam samen met O., een klasgenote. Bij haar woning gekomen nodigde ze mij uit nog even wat te drinken en een sigaretje te roken. Ze was zo aardig en vriendelijk en zo vanzelfsprekend in haar houding, ik werd op slag verliefd op haar. Maar zij absoluut niet op mij. Wat voor haar een vriendelijk gebaar van kameraadschappelijkheid was, werd voor mij een gebeurtenis van nagenoeg existentiële dimensies. De hunkeringen, achter mijn façade van sociale aangepastheid, naar vrouwelijke zorg, naar aandacht, naar een jonge vrouw die überhaupt met me wilde verkeren, drongen zich in alle heftigheid op. Ik was in die tijd niet meer tot een reëel aanvoelen van de werkelijkheid in staat. In de eenzaamheid van mijn kamer reageerde ik overtrokken panisch op de afwijzing door O. Ik was in de war, belde O. met een ware bezetenheid om de haverklap op, totdat haar moeder ingreep en me verzocht daarmee te stoppen. Na verloop van tijd bedaarde de storm in mijn innerlijk, ebde het gebeuren weer weg. Ik hervond mijn vertrouwde habitus en het normale leven op school ging weer door.

Mijn tentamenresultaten waren zonder meer goed. Des te verwonderlijker was het dan ook dat ik aan het einde van het tweede jaar, voor het begin van de praktijkstage, die een jaar zou duren, zakte voor het mondelinge afsluitende theorie-examen. Ik kon tijdens dat examen geen woorden vinden en was volkomen geblokkeerd. Iedereen, medeleerlingen op de gang, docenten, examinatoren en ikzelf incluis, vond mijn examengedrag zo raar dat ik aan het eind van diezelfde dag een herkansing kreeg, maar ik blokkeerde opnieuw. Mijn examengedrag was dermate vreemd en zo in strijd met wat ik tot dusverre presteerde dat men besloot mij toch door te laten. Ik kreeg het groene licht voor het doen van mijn stage. Er werd verder nooit meer over gesproken.

De stage bij de Ambtenaren voor de Kinderwetten bij Pro Juventute verliep heel goed. Ook in mijn tweede halfjaarstage bij Ons Huis op het oude Kattenburg presteerde ik naar ieders tevredenheid. Bijzonder was dat ik tijdens die tweede stage kort na de watersnoodramp van 1 februari 1953 enkele weken ben ingezet bij de opvang van kinderen in Zierikzee.

Eind december 1953 behaalde ik twee diploma's en was ik gekwalificeerd voor maatschappelijk werk in de kinderbescherming en voor het doen van sociaal-cultureel opbouwwerk.

De hele opleidingsperiode bleef ik thuis in de intimiteit van mijn kamer erg gedeprimeerd, zoekend, tastend en vurig hopend dat aan die kwellende stemmingen, die mij volkomen konden beheersen, eens een eind zou komen. Ik hoopte dat ik ooit in staat zou zijn een vaste, intieme relatie met een vrouw te kunnen hebben. Ik leed onder mijn negatieve zelfoordeel en het gemis van eigenwaarde. Ik zat gevangen in een of andere cocon. Ik ontving nooit bezoek op mijn kamer en nodigde ook nooit iemand uit. Als ik mensen wilde zien ging ik naar hen toe. Aan de ene kant sociaal vaardig en geliefd en aan de andere kant zo problematisch. Wat was er toch met me aan de hand?

Tijdens het tweede jaar van mijn opleiding aan de School voor Maatschappelijk Werk werd ik op 27 oktober 1951 21 jaar en dus meerderjarig. De voogdij hield op te bestaan en ik kreeg het deel dat er nog restte van mijn geërfd kapitaaltje zelf in handen. Tante Jet had ik na mijn vertrek in juni 1950 niet meer gezien, maar eenmaal meerderjarig geworden zocht ik weer contact met haar. Uiteindelijk had ze zich, zo ging ik beseffen, in die moeilijke naoorlogse jaren onvoorwaardelijk voor mijn welzijn ingezet. Ik wilde haar iets geven en heb haar in de kerstvakantie uitgenodigd voor een groepsreis met de trein naar de wintersport in de buurt van Innsbruck. Die reis werd een succes. We verkeerden in een vrolijk en gemêleerd gezelschap. Er waren ook enkele meisjes van mijn leeftijd of iets ouder en ik fladderde van de een naar de ander. Ik speelde met zekere branie ver van huis en van mijn kamer de 'populaire jongen', maar het had niets om het lijf. Voor tante Jet werd de reis een kentering in haar leven. Zij die altijd zo met anderen in de weer was, weinig van huis kwam, trok er voortaan veel op uit, ook naar het buitenland. Sinds die kerstvakantie zagen we elkaar niet vaak, maar wel met een zekere regelmaat. Niet alleen ik was in mijn waardering voor haar veranderd, ook zij werd met het klimmen der jaren milder en gevoeliger.

Tegen het eind van mijn maatschappelijk-werkopleiding vroeg mijn hoofddocent kinderbescherming mij of ik als landelijk secretaris van de sectie kinderbescherming in dienst wilde treden van het Centraal Bureau van Humanitas, Vereniging voor Maatschappelijk Werk, in Amsterdam. Het hoeft geen betoog dat ik door dat verzoek behalve zeer verrast, ook zeer gevleid was. Ik hoefde zelfs niet te solliciteren. Het was overigens dezelfde docent die de leiding had in de examencommissie toen ik tijdens het mondelinge theorie-examen blokkeerde.

Op 2 januari 1954 trad ik in dienst van het Centraal Bureau en ging ik, 23 jaar oud, op hoog beleidsniveau aan de slag. Ik kreeg te maken met ervaren praktijkwerkers en door de wol geverfde beleidsfunctionarissen. Na verloop van tijd bleek dan ook dat de functie voor mij te hoog gegrepen was. Ik zat bijvoorbeeld op gezette tijden om de tafel bij de Federatie voor Kinderbescherming in Den Haag met ervaren directieleden of coördinatoren van diverse voogdijverenigingen, vrijwel allemaal vrouwen die veel ouder waren dan ik. Er werd uitvoerig gepraat over beleidszaken en coördinatie van werkzaamheden op verschillende werkniveaus. Mijn inbreng was minimaal. Men verdroeg mij, zo meende ik, met een zekere meewarigheid. Toch hield ik de baan vol tot april 1956 en het was ondanks alles een bijzonder leerzame, waardevolle tijd.

Ik besloot mijn baan bij Humanitas op te zeggen en over te stappen naar de praktijk, ervaring op te doen met het gewone 'handwerk', en kreeg per 1 april 1956 een aanstelling als medewerker van de afdeling rapportage bij de Raad voor de Kinderbescherming te Amsterdam. Ik kreeg leuke en boeiende collega's. Aan de hand van een door mij gemaakt rapport over een gezinssituatie moest ik advies uitbrengen aan de kinderrechter of de officier van justitie. Rapport en advies werden uiteraard geautoriseerd door de Raad. Het rapportagewerk bracht me in zeer uiteenlopende milieus in alle delen van de stad. Het betrof verantwoordelijk en specialistisch werk, maar op een niveau dat ik goed aankon. Ik ontving waardering voor wat ik deed en voor wie ik was, al drong dat laatste niet goed tot me door. Soms was het zwaar, bijvoorbeeld toen er onverwachts een meisje van 13 jaar op de stoep stond dat uit angst voor mishandeling met haar jongere zusje van huis was weggelopen. Of toen een vader die er in mijn rapport niet zo goed afkwam op de stoep stond. Of nog beroerder, een vader die mij in razernij kwam vertellen dat hij 'dat wijf', zijn vrouw, zou gaan vermoorden.

Een saillant detail betreft mijn onderzoek naar de opvoedingsomstandigheden in gezinnen van enkele oud SS'ers. Ik zou nu een dergelijke opdracht niet meer accepteren, maar in die tijd pakte ik alles aan en deed gewoon mijn werk. Soms echter had ik een licht gevoel van triomf. Ik zat immers nu aan de andere kant van het bureau.

Een keer werd mij gevraagd: 'Bent u soms een Jodenman?', waarop ik bijna verontwaardigd antwoordde: 'Hoe komt u daar nou bij, nee hoor.' Van mijn Joodse afkomst wilde ik in die dagen niets meer weten.

Een nare herinnering bewaar ik aan een advies dat ik moest uitbrengen aan de rechtbank over toewijzing van een enig kind na echtscheiding. Het kind werd toegewezen aan de vader, terwijl de moeder, die dus alleen achterbleef, een overlevende was van Auschwitz.

Tot begin juni 1964 bleef ik bij de Raad werken, maar was vanaf 1961 als assistent 'uitgeleend' aan een sociaalwetenschappelijk onderzoekster, die trachtte de indicaties voor het ontheffen of ontzetten van ouders uit het ouderlijk gezag in kaart te brengen.

Ondertussen had ik in de herfst van 1954, bijna 24 jaar oud, na wat omzwervingen bij verschillende hospita's, een zelfstandig onderkomen gevonden, een zogenaamde dienstbodekamer op vijf hoog aan de Stadionweg bij de Beethovenstraat. Ik had mijn eigen opgang, woonde niet meer bij iemand in, kon de huur gireren en de kamer naar eigen smaak stofferen en inrichten, kortom, een eigen huis. Ik kocht leuke lichte meubeltjes, een goed bed en had een elektrisch plaatje waarop ik wat eten kon koken of opwarmen en ik moest mijn kamer zelf schoonhouden.

Kennelijk zorgde ik een tijd lang niet zo goed voor mezelf. Ik ontdekte dat opgewarmde boerenkool met worst uit blik mij goed smaakte. Op gezette tijden schafte ik twee kartonnen dozen met elk twintig blikken aan en warmde iedere avond een blik op. Toen ik een keer griep kreeg, bleek dat mijn lichamelijke weerstand dermate verzwakt was, dat ik meer dan twee maanden niet kon werken en 'in de ziektewet' moest. Twee collega's verzorgden me in die tijd. Zij brachten eten en maakten af en toe een beetje schoon. Ik denk dat ik de les ter harte heb genomen, maar kan me verder weinig van mijn huishoudelijke perikelen herinneren.

Dat het me maatschappelijk qua opleiding en werk tot dusverre voor de wind was gegaan, nam niet weg dat ik in de eenzaamheid van mijn kamer bleef lijden aan een constante stroom van nare gevoelens. Ik oordeelde niet positief over mezelf en leed onder het gemis aan een intieme relatie. Die gevoelens had ik al zo lang en er kwam maar geen wijziging in, integendeel ze gingen sterker op me drukken naarmate ik ouder werd.

In mijn opleiding had ik het een en ander gehoord over psychotherapie in de vorm van een psychoanalyse en over het verschijnsel 'neurosen'. Voor oorlogsslachtoffers bestond voor zover ik wist geen enkele vorm van hulpverlening of financiële regeling. Bovendien bestond de term 'oorlogsslachtoffer' nog niet. Je had de oorlog meegemaakt en daar sprak je verder immers niet over. Ik herinner me nog goed de ijzige stilte die in een gezelschap kon vallen als ik een kleinigheid over die oorlogsperiode of vervolging vertelde. Ik leerde tegenover iedereen te zwijgen over oorlog en slachtofferschap. Ik was daar zo consequent in dat ik ook zelf geen verband zag tussen mijn oorlogsverleden en mijn innerlijke misère. Nee, ik leed misschien aan iets dat in de richting kon gaan van een neurose, maar niet echt een neurose, want dat klonk te ernstig. Ik hoopte dat ik met een paar gesprekken bij een psychoanalyticus van mijn psychische klachten verlost zou worden.

Daarom meldde ik me na lang dralen bij het psychoanalytisch instituut met de vraag om een paar gesprekken. Wel, dat ging zomaar niet. Ik kwam bij een mevrouw, een psychiater, die van alles en nog wat van me wilde weten en daar uitvoerig de tijd voor nam. Het advies dat ze me na intern beraad gaf vond ik schokkend. Ik zou niet gebaat zijn bij een paar gesprekken, nee, alleen een psychoanalytische behandeling zou helpen. Ik zou dan zo lang als dat nodig was zes keer in de week gedurende drie kwartier behandeld worden. Kosten vijf gulden per zitting, zelf te betalen. Die uitslag trof me recht in mijn ziel. Was het zo erg met me? Had ik iets ernstigs? Was ik gek? Ik ging niet meteen op het advies in, stapte naar buiten en voelde me verward.

Na een periode van aarzelen of ik nu wel of niet aan die behandeling moest beginnen en na er een keer met een oud-docent van de School voor Maatschappelijk Werk over gepraat te hebben én na het restant van mijn geërfd kapitaaltje te hebben geteld, besloot ik de stap naar een psychoanalytische behandeling te zetten. Door genoemde docent kreeg ik dokter E., psychiater-psychotherapeut, aanbevolen. Zij kende hem al jaren van werk bij een instelling voor preventieve geneeskunde. Dat klonk goed. Zelf kon ik mij, als volslagen leek in deze materie, geen oordeel vormen. Na nog wat dralen belde ik E. op en in de herfst van 1954 vond er een kennismakingsgesprek plaats.

Ik ging met loden schoenen naar E's huis, waar ook de behandeling zou plaatsvinden. Na het aanbellen kon ik de trap op lopen naar de wachtkamer en werd vervolgens door E. in zijn behandelkamer ontvangen. Er stond een bureau met een uitheems beeld erop, er was een gevulde boekenkast, maar wat vooral mijn aandacht trok was een grote, met een groot kleed gestoffeerde sofa en schuin daarachter een leunstoel. Verder hingen er enkele uitheemse maskers. Dokter E. legde me uit dat ik voortaan bij binnenkomst in de kamer op de sofa moest gaan liggen en dat hij in de stoel achter me zou plaatsnemen. Ik moest dan proberen zo spontaan mogelijk iedere gedachte of ieder beeld dat in me opkwam naar voren te brengen. De week daarop moest ik op maandag om 5 voor 8 's ochtends beginnen. Aan het eind van de maand moest ik contant afrekenen. Dat hoorde erbij, want ik diende me goed van de kosten van mijn behandeling bewust te zijn.

De behandeling, die tot eind 1959 duurde, heeft me in sociaal opzicht verder geholpen, maar werd wat mijn gevoelsleven, mijn stemmingen, mijn negatieve gedachten over mezelf betreft geen succes, eerder een mislukking. Dat bleek eigenlijk al vrijwel aan het begin. Tijdens een van de eerste zittingen (of liggingen) begon ik te vertellen over een beangstigend incident met een SS'er, maar E. ging daar helemaal niet op in. 'Uit datgene wat u vertelt over die SS'er', zei hij, 'maak ik op dat u erg bang voor *mij* bent.' Ik wist niet wat ik met die opmerking aan moest, want ik voelde geen angst voor E., maar herinnerde mij wel mijn angst uit de oorlog. Het leidde ertoe dat ik stilviel, enigszins beschroomd omdat ik niets anders wist in te brengen. Ik kreeg het gevoel tekort te schieten.

Op den duur ontdekte ik, zelf wijzer geworden, dat mijn arts een trouwe volgeling van Freud was en therapeutisch een beperkt blikveld had. Niet mijn oorlogservaringen, die ik eindelijk wat wilde toelaten, vormden in zijn optiek mijn belangrijkste probleem, maar mijn oedipale conflicten uit de vroege kindertijd, onopgeloste conflicten die ik met mijn ouders zou hebben gehad. Hij was de deskundige, niet ik. Een herhaaldelijk terugkerend beeld van mijn moeder, die met gesloten ogen in de modder op de keien van de Churchilllaan lag en door zware Duitse vrachtwagens werd overreden, paste prima binnen de Freudiaanse symboliek, maar voor mij symboliseerde het beeld haar gewelddadige dood in het *Vernichtungslager*. Opnieuw vond de oorlog geen toegang tot E.

Door deze gang van zaken bleven mijn verwarrende, nare gevoelens onbesproken en onbehandeld. Ik wilde mijn therapeut best van dienst zijn en deed erg mijn best om de 'juiste' associatie uit mijzelf te wringen, terwijl ik spontaan zoveel te vertellen had, maar kennelijk was dat niet relevant. Ik hoorde E. vaak driftig met zijn vulpen krassend over het papier schrijven en als hij stopte met schrijven dacht ik: 'Het zal wel weer niet van belang zijn wat ik te vertellen heb.'

Je zou verwachten dat ik het bij een dergelijke gang van zaken snel voor gezien zou houden, maar dat was niet het geval. Integendeel, ik voelde me in toenemende mate afhankelijk worden van E. en koesterde de hoop dat alles toch nog goed zou komen, waardoor ik me beter zou gaan voelen.

Na een jaar in de cadans van de vrijwel dagelijkse contacten bloeide er, ondanks alles, heel teer, heel kwetsbaar en heel bescheiden van omvang, een gevoel van zelfvertrouwen in me op. Kennelijk had het feit dat er continu iemand was waar ik zitting na zitting, week na week kwam, een genezende werking. Tegen het eind van dat eerste behandeljaar, ongeveer in juni 1955, kwam de grote klap, waarmee het prille, nog tere resultaat in een keer vernietigd werd. E. vertelde me dat hij de behandeling drie maanden zou onderbreken vanwege een studiereis naar Amerika. Ik was verbijsterd, maar liet dat niet merken. Degene die me misschien over het trauma van de vele verliezen en verlatingen heen had kunnen helpen, alleen al door er te zijn en te blijven, liet me in de steek. Ik werd opnieuw verlaten door iemand aan wie ik me eindelijk sinds mijn weglopen bij de Schouwburg, een beetje ging hechten.

Tijdens E's afwezigheid kon ik in het uiterste geval voor een enkel gesprek terugvallen op een collega van hem. Ik ging er een keer heen toen ik me heel beroerd voelde, maar schoot ook daar niets mee op. Die collega stelde dat ik bijna knapte van woede omdat E. was weggegaan, maar ik voelde totaal geen woede, alleen een diep, haast ondraaglijk verdriet.

Ik kreeg tijdens E's afwezigheid een flinke keelontsteking, die pas na maanden, vlak voor de terugkeer van E. overging. Toen E. dan eindelijk weer terug was van zijn reis, reageerde hij niet op mijn klachten over zijn afwezigheid. Desondanks bleef ik ook toen, doordat ik me erg afhankelijk voelde, bij hem komen. De behandeling duurde tot eind 1959. Pas toen mijn eigen geld op was en ik alle charitatieve fondsen had afgegraasd moest er definitief een eind aan ons contact komen.

Het belangrijkste doel van de behandeling – me weer kunnen hechten en kunnen rouwen om het verlies van al die vermoorde mensen – was niet bereikt. Ik was me bewust geworden van twee werelden waarin ik leefde: die van thuis vroeger en die van na de oorlog, maar tussen beide werelden wist ik geen verband te leggen. Gevoelsmatig gaapte er een onoverbrugbare kloof tussen.

Voor mijn sociale en maatschappelijke ontwikkeling – het naar de buitenwereld gerichte deel van mijn persoon – is mijn contact met E. wel van betekenis geweest. De relatie gaf me net voldoende durf om 'eindelijk' het contact met een jonge vrouw aan te gaan, ook in seksueel opzicht. Ik ontleende mijn zelfrespect aan de vele 'veroveringen' die ik kennelijk zo gemakkelijk bleek te kunnen maken. Als er zich dan weer een vrouw op mijn kamer installeerde, overigens zonder voorafgaand overleg, dan was dat wel even fijn en vleiend voor mijn zelfgevoel, maar na enkele weken of maanden kreeg ik het zo benauwd en voelde ik me dermate beklemd, dat ik, zij het met veel pijn, moeite en schuldgevoel, de relatie definitief verbrak en mijn 'vriendin' mijn kamer weer verliet. Van echte intimiteit en van overgave was geen sprake.

Door een zetje van E. durfde ik de stap naar een universitaire studie te zetten. Op een mooie zomerdag in augustus liep ik bibberend van onzekerheid en met knikkende knieën naar het bureau van de pedel in de Oude Manhuispoort. Ik was al zo vaak door die poort met zijn tweedehands boekenstalletjes gegaan, maar nog nooit door die grote deur die toegang tot de universiteit gaf. Ik wist mijn onzekerheid te verbergen en ik kreeg papieren om me in te schrijven aan de sectie C van de 7e Faculteit van de Gemeentelijke Universiteit van Amsterdam – een mond vol, maar het was ook niet niks. Ik wilde sociaal-psycholoog worden. Ik was er evenwel helemaal niet zo zeker van of ik, gelet op mijn grillige middelbareschoolcarrière en de uitslag van de beroepskeuzetest, wel een universitaire studie zou kunnen voltooien. Er waren ook weer de vertrouwde vragen zoals:

ben ik niet te dom en heb ik wel de vereiste capaciteiten? Zou ik wat maatschappelijke status en wat persoon betreft wel binnen het universitaire milieu passen?

Tekenend voor mijn twijfel en onzekerheid was een eerste ervaring in de mensa, een goedkope, maar verantwoorde eetgelegenheid voor studenten. Ik fietste naar de Nes, waar zich destijds in het gebouw van de Bank van Lening de mensa bevond. Ik moest zoeken naar de ingang en via anderen kijken hoe de gang van zaken was. Het bleek simpel: je schuifelde met je bord langs de toonbank waar het eten werd opgeschept en zocht voor jezelf een plaats in de zaal. Ik had mijn bord met eten nog maar amper voor me staan, toen ik letterlijk misselijk werd van angst en onzekerheid. Ik kon net op tijd het toilet halen. Gelukkig vormde de mensa na die eerste kennismaking geen barrière meer.

De volgende hobbel was het inleidende college van prof. dr. T.T. ten Have, de man die mij eind jaren '40 de beroepskeuzetest had afgenomen. Weer die knikkende knieën en de vraag: Hoe zal ik passen binnen mijn jaargroep? Wat voor mensen zullen het zijn? Het bleken gewone, geschikte mensen, de meesten jonger dan ik.

Ik begon het eerste jaar met ongeveer veertig studiegenoten. Na het eerste studiejaar viel er een aantal studenten af en met de resterende groep van ongeveer dertig vrouwen en mannen vormden we een min of meer hechte groep.

Toen ik eenmaal door die eerste prop van de inschrijving en de kennismaking heen was, bleek de studie een feest. De inhoud was zeer boeiend en gaf me nieuwe inzichten. De toon in de vele Amerikaanse studieboeken was optimistisch en humanistisch gekleurd. Ik leerde in de loop van de studie mijn verstand te gebruiken, te denken en te reflecteren.

In 1960 deed ik het kandidaatsexamen en in mei 1964 behaalde ik met goed resultaat mijn doctoraalexamen sociale psychologie. Prof. Ten Have, voorzitter van de examencommissie, kwam bij zijn praatje terug op zijn advies bij de beroepskeuzetest uit 1949, waarin hij mij een universitaire studie had ontraden. Tijdens de studie had hij er nooit enige toespeling op gemaakt. Hij vond het fijn dat ik alsnog een studie had doorgezet.

De hele studietijd heb ik mijn studie met een baan moeten combineren. Het geld was immers op.

Tot mijn jaargenoten in 1957 behoorde ook Els, toen 20 jaar oud. We gingen collegiaal met elkaar om. Net als bij de anderen ging ik wel eens bij haar langs en zij deed ook mee met incidentele studieclubjes, waarin we met een aantal studenten een tentamen voorbereidden. Aan het eind van de zomervakantie van 1959 belden we elkaar om informatie uit te wisselen over het begin van het nieuwe studiejaar. Els was net terug in Amsterdam uit New York, waar zij in de buurt van die stad leidster in een kinderkamp was geweest, en ik had een goedkope NBBS-reis naar Griekenland achter de rug. Dat telefoontje – op zich gewoon, zoals zo veel telefoontjes met bekenden – is uitgemond in een relatie en in een huwelijk dat tot op de dag van vandaag duurt. Hiermee begint een nieuw hoofdstuk in mijn leven.

2. Huwelijk, gezin, maatschappij

Was ik in die begintijd verliefd? Ik geloof van niet. Hielden we van elkaar? Dat moet wel zo geweest zijn.

Begin 1960 trok ik de weekenden bij Els in op haar zolderkamertje van 2 bij 3 meter en in de loop van dat jaar gingen we samenwonen op een wat grotere zolderkamer. In april 1961 zijn we getrouwd.

Els kwam uit het noorden, had een zus, twee broers en een vader die bekendstond als rode dominee. Haar moeder was remedial teacher bij een gerenommeerde instelling voor bijzonder onderwijs. Haar ouders stonden politiek links van het midden. In geestelijk opzicht en qua levenshouding oriënteerden ze zich op de linkschristelijke en sociaal-democratische gedachten van onder andere prof. ds. Banning. Godsdienst speelde een geringe rol.

Het milieu waaruit Els stamde was totaal anders dan het mijne, maar ik voelde dat als een voordeel, omdat ik niet in het verleden wilde blijven hangen en mijn eigen lijn in het leven wilde volgen. In die dagen voelde ik geen affiniteit meer met het Joodse leven. Els en haar milieu hadden raakvlakken met mijn opvattingen over politiek. We deelden belangstelling voor geestelijk leven, literatuur en cultuur. We hadden weinig op met excessief consumentisme of materialisme. Bovendien hadden haar ouders een verzetsverleden. Zij hadden onderdak aan Joodse onderduikers gegeven. Door verraad bracht haar vader de laatste maanden van de oorlog in een Duits strafkamp door.

Els was in 1959 toen we meer contact met elkaar kregen 22 jaar. Ik vond haar rechtvaardig, iemand met een sterk karakter en een scherp verstand. Ze was moreel hoogstaand en had een groot gevoel voor humor. Ik vond haar liefdevol en gevoelig, maar ze liep daarmee niet te koop, toonde zich meer van haar nuchtere kant. Ze was een frisse, aantrekkelijke verschijning. In tegenstelling tot mijn eerdere losse, wat flodderige contacten met vrouwen wilde ik met Els een vaste relatie opbouwen. Ik was het gescharrel meer dan zat. Ik had daarbij het gevoel dat zij zou zijn opgewassen tegen de moeilijke kanten van mijn persoon. Een intuïtieve, onberedeneerde overtuiging. Deze stap om me blijvend aan iemand te willen binden was emotioneel zeer ingrijpend. Voor het eerst sinds mijn weglopen uit de rij van de Hollandsche Schouwburg koos ik er zelf voor een meer diepgaande relatie met iemand aan te gaan. Ik liep inmiddels tegen de dertig.

Els zag in mij een vrij opgewekte man, goedlachs, die op gezette tijden aimabel kon zijn en die nijver studeerde. Ik had haar verteld over mijn oorlogsverleden, maar dat schrok haar niet af. Toen we nauwer met elkaar begonnen om te gaan kwamen echter ook de andere kanten van mij naar voren, de kanten die ik tot dusverre met succes had weten af te schermen voor de buitenwereld en de mensen met wie ik omging. Ik maskeerde in het begin van onze verhouding mijn emotionele onvermogen met hinderlijk gezeur dat soms behoorlijk kwetsend kon zijn.

Op een zaterdagmiddag, we woonden toen nog niet samen, beloofde Els me een zakje met dropjes, dat ze al klaar had liggen op haar kastje. Ze vergat dat bij mijn vertrek mee te geven. Ik maakte er een drama van. Ik wachtte de laatste minuten voor mijn vertrek in hevige spanning af of Els me alsnog de beloofde dropjes zou geven. Toen dat niet het geval was, voelde ik me teleurgesteld, verlaten, onheus bejegend en verweet haar onachtzaamheid. Alsof dat alles nog niet genoeg was greep ik ook nog terug op mijn Freudiaanse arsenaal, sprak van een Fehlleistung en stelde: 'Onbewust wil je me niet.'

Els was verbijsterd en gekrenkt. Dat deed me beseffen hoe onjuist mijn gedrag was. Na dit voorval waren we allebei een tijdje van slag en ik voelde me ook schuldig. Het feit dat ik tijdig tot inzicht kwam en bereid was over mijn storende gedrag te praten redde onze relatie. De vraag was daarbij: Waarom dat gedrag? Dat bracht het gesprek op mijn oorlogsverleden en de emotionele tekorten die daardoor waren ontstaan. Ons inzicht gaf ons weer lucht. Dit is een voorbeeld van een zich telkens herhalende situatie op verschillende vlakken van het dagelijks leven. De grillige onvoorspelbare kant van mijn persoon bleef steeds als een dreigende wolk boven ons en onze relatie hangen.

Hoe moest Els op mijn stoornis en de spanningen binnen onze relatie reageren? Kwaad worden? Breken? Zo goed mogelijk proberen aan mijn soms onbegrijpelijke eisen te voldoen omwille van de lieve vrede of uit angst de relatie te verspelen? Moest zij haar kwaadheid en onvermogen wegstoppen, omdat het leed dat mij was overkomen voor haar gevoel zo ernstig en zo zwaar was dat haar eigen 'probleempjes' daarbij in het niet vielen? Droeg zij zelf ook bij aan de spanningen?

Achteraf gezien is het verwonderlijk dat Els niet met mij gebroken heeft. Enkele factoren weerhielden haar daar altijd weer van. Ik was niet alleen maar een beschadigde en gestoorde persoon, ik had ook mijn goede kanten, zoals hiervoor al enkele malen beschreven. Ik kon mijn falen inzien, maar voelde me machteloos daarin. Voor mij was echter alles bespreekbaar. Ook kwamen er steeds meer ervaringen uit de oorlog naar boven, waarover we dan weer in gesprek raakten. Dat bleek niet voldoende om ons blijvend van mijn ontregelend gedrag te bevrijden.

Desondanks verdiepte onze relatie zich en hielden we van elkaar. We ondernamen ook leuke en luchtige activiteiten. Ik had een oude scooter die het nog aardig deed en we genoten ervan erop uit te trekken, langs het IJsselmeer, naar mijn schoonouders in het noorden of een weekje naar Luxemburg voor een paar gulden per dag. We genoten van films, vooral die van de Filmliga in Kriterion, van boeken lezen. En uiteraard hadden we ook de normale dagelijkse zorg voor ons huishouden, onze studie en onze werkzaamheden.

Ons leven bleef echter instabiel. Geen van beiden had het gevoel dat we met onze problemen voor raad of advies op iemand anders of op de professionele hulpverlening konden terugvallen. Mijn psychoanalytische ervaringen waren ook niet bepaald motiverend. Ook enkele hulpverleners tot wie ik me naderhand had gewend boden weinig soulaas. Zij bleven gevangen binnen hun eigen referentiekaders, die geënt waren op voor hen normale toestanden. Niemand van hen kon zich verplaatsen in de uitzonderlijke en abnormale omstandigheden, die de oorlog en de vervolging meebrachten.

Bovendien heerste er bij een aantal mensen in onze omgeving de opvatting dat de oorlog zo langzamerhand maar eens over moest zijn. We modderden dus voort, maar onze situatie kon zo ook niet eindeloos voortduren.

Het was Els die de grens trok. Zij raakte ervan overtuigd dat ik niet echt bereid was de gevolgen die de oorlog voor mij had, onder ogen te zien. Ik bleef hangen in twee werelden: de wereld van vroeger, van voor mijn 12^e jaar, en de wereld van nu, mijn wereld met haar in onze maatschappij. Dus stelde zij me voor een duidelijke keuze. Kiezen voor erkenning van mijn verleden. Ik zou diepgaand moeten beseffen dat mijn ouders en de anderen echt zijn omgekomen en nooit meer zouden terugkomen en dat ik dus ook nooit meer zou kunnen terugkeren naar mijn ouderlijk huis. Alleen op basis van die keuze was herstel mogelijk, kon onze relatie leefbaar blijven en kon ze echt iets voor mij betekenen. Fijngevoelig als Els is, liet ze het noemen van het alternatief achterwege: breken met mij. Ze wilde vechten voor het behoud van onze relatie en voor mijn welzijn.

Ik had mijn dubbele werkelijkheid nog niet eerder zo overtuigend ingezien en ik hoefde niet lang na te denken. Ik zou meedoen en daarmee werd een lange periode van rouw en verdriet ingeluid. Mijn neerslachtige buien kregen inhoud. Ik ontdekte vooral dat ik depressief werd als ik in mijn gevoel niet voldoende kon loskomen van mijn ouders en de andere omgekomenen. Dat blokkeerde me in het uiten van mijn liefde voor Els, de kinderen en al degenen die me in het heden na stonden. In de loop van 1986 waren onze beide zoons het huis uit en dat schiep meer ruimte voor het uiten van mijn gevoelens. Ik had het gevoel dat ik me daardoor niet langer hoefde in te houden.

In 1987 kwam ik, misschien wel dankzij ons streven naar herstel, in een diepe crisis terecht. Tijdens een paasvakantiereis in Normandië werd ik overvallen door panische angsten. We gingen naar huis, maar hevige angsten bleven mij kwellen. Tijdens een wandeling in een bos niet ver van huis – ik liep alleen – kon ik voor het eerst voelen hoe alleen ik was toen ik als 12-jarige jongen wegliep uit de rij voor de Hollandsche Schouwburg, onbeschermd en dakloos in een vijandige, bedreigende wereld.

Thuis zakten de angsten, maar ik durfde een tijd lang niet meer in de trein, naar de schouwburg of in een concertzaal. Mijn beide kinderen hebben me geholpen weer in de trein en de bus te gaan zitten. Els en ik waren echter onze behoefte aan cultuur en aan reizen niet kwijtgeraakt én we wilden onze strijd om de invloed van de vervolging te reduceren niet opgeven. Na een aantal mislukte pogingen een voorstelling of uitvoering bij te wonen, kwamen we op het idee hoekplaatsen dicht bij een uitgang te reserveren. Dat beviel goed en na verloop van tijd konden we weer onbekommerd 'onze' plaatsen in de schouwburg en concertzaal innemen.

Die hele constellatie rondom mijn oorlogsverleden en vervolging legde een groot beslag op Els en op mij. Veel tijd ging zitten in het met elkaar praten en in de pogingen problematische gevoelens en gedrag te ontwarren. Indirect werd ook zij slachtoffer van die afschuwelijke oorlogsperiode. Onze gesprekken brachten veel verlichting, maar deden niet alle beschadigingen in mijn innerlijk teniet.

Een gevolg van de situatie was dat Els zich niet vrij kon ontplooien in haar beroep van lerares geschiedenis. Mijn houding ten opzichte van haar werk was dubbelhartig. Aan de ene kant stimuleerde ik haar om buitenshuis te werken, dat leek me vanzelfsprekend. Aan de andere kant kon ik me ellendig, verlaten en verloren voelen als ze naar haar werk ging. Ik wilde controle houden over de duur die ze van huis zou zijn en op de totale omvang van haar werktijd. Ik kon dat niet loslaten, me niet overgeven. Het leek wel alsof mijn angst voor verlating, voor verlies van de ander in mijn hersens zat ingebrand. Niet alleen zij leed onder dat alles, ook ikzelf, want ik wilde haar zo graag alle ruimte geven. Ook hier hielden we vol. Veel praten, lucht en ruimte scheppen en constant proberen grenzen te verleggen, terrein te veroveren op de hardnekkige werking van de opgelopen beschadigingen. Helaas werd onze situatie gecompliceerd doordat ik eind 1974, op mijn 44e, een licht hartinfarct kreeg en ik een periode niet kon werken. Ik kom daarop nog terug.

Na mijn doctoraal examen sociale psychologie kreeg ik een baan met een salaris waarvan we goed konden rondkomen. We wilden graag kinderen en bij mij leek die wens uit het gezonde, onbeschadigde deel van mijn persoon voort te komen, onbelast of onaangeraakt door mijn verleden. Erik werd in 1965 geboren en Peter in 1967. We waren blij met onze zonen en hebben altijd onze vreugde, onzekerheden en vragen over hun welzijn en over hun opvoeding van baby tot volwassene goed met elkaar kunnen delen.

Tijdens de bevalling van Erik, thuis in onze zolderwoning in de Sarphatistraat in Amsterdam, had ik voor het eerst de ervaring volkomen samen te vallen met Els. Het verleden bestond niet langer. Ik herinner me mijn ontroering die avond op de dag van de bevalling toen ik, na het vertrek van onze kraamhulp, Erik een schone luier moest aandoen, nog zo'n ouderwetse luier van katoen en met veiligheidsspelden. Dat kleine volstrekt weerloze mannetje lag in mijn armen, helemaal aan ons overgeleverd. Voor de tweede keer die dag viel ik samen met een ander. Ik voelde toen duidelijk dat ik, ondanks alles, niet verslagen was in het leven. Bij Peters geboorte vond een herhaling plaats, al was het prille van de eerste ervaring met Erik eraf.

Ik wilde voor alles trachten te voorkomen dat de kinderen schade zouden oplopen van de gevolgen van mijn oorlogservaringen. De jongens groeiden op, gingen naar school, werden puber en volwassene. Zij maakten me mee in het gezin en gingen hun vragen stellen. Wat was er soms met pappa aan de hand? Waar waren eigenlijk opa en oma Blom?

Hoe met dergelijke vragen om te gaan? We hadden immers geen alledaagse antwoorden, antwoorden die zouden passen bij het normale maatschappelijke kader waarin de kinderen opgroeiden. Ze maakten op school kinderen mee van wie de ouders gingen scheiden of van wie een grootouder door ouderdom kwam te overlijden, maar dergelijke nare gebeurtenissen vielen binnen het leven van alledag.

Els en ik vonden echter allebei dat er voor de kinderen niets van mijn oorlogsverleden onbespreekbaar moest zijn. We moesten daarbij wel zoeken naar de juiste woorden, de goede intonatie en de gepaste dosering die bij hun leeftijd zouden aansluiten. Els nam het op zich de kinderen uit te leggen waarom ik last had van periodieke depressieve buien.

Het vertellen waarom opa en oma Blom niet meer leefden plaatste ons voor een lastig dilemma. We wilden reële informatie geven, maar tegelijkertijd was die zo bizar en buiten iedere proportie ('zij zijn vergast door de Duitsers') dat we hun, toen ze nog jong waren, de feiten niet onverbloemd konden vertellen. We wilden voorkomen dat hun eigen beeld van een veilige wereld verstoord zou worden. Pas toen ze de 20 jaar naderden en Peter al op het punt stond het huis te verlaten kwamen de brieven van het Rode Kruis uit 1950 met een verklaring over de doodsoorzaak van hun grootouders op tafel. We hoopten dat ze toen gevormd en sterk genoeg zouden zijn om die gruwelijke waarheid onder ogen te zien.

Beiden zijn volwassen mannen geworden, die hun vreugden en hun zorgen hebben. Mannen die de verantwoordelijkheden en zorg voor hun gezin en hun kinderen samen met hun partners ten volle aankunnen en die goed slagen in het arbeidsproces. Zij kunnen genieten van het leven.

Heeft mijn oorlogsverleden hen dan niet geraakt en beïnvloed? Natuurlijk wel, dat bleek onvermijdelijk. Zij hebben dat elk op hun eigen manier uitgewerkt en verwerkt. De deur is bij Els en bij mij altijd blijven openstaan voor vragen of gesprekken over de oorlog. Dat klinkt mooi en dat is ook lovenswaardig, maar de kinderen van hun kant schroomden vanuit hun gevoeligheid soms mij rechtstreeks aan te spreken, bang als ze waren mij extra te belasten. Dat zou het laatste zijn wat ze wilden.

Speelde de oorlog nog een rol in mijn werk als sociaal-psycholoog en als psychotherapeut? Gelet op de persoonsgebonden aard van mijn werk luidt het antwoord: ja. Zowel in positieve als in negatieve zin. In september 1964 begon ik mijn nieuwe loopbaan in een grote psychiatrische instelling. Men zocht de hulp van een sociale wetenschapper bij het doorvoeren van ingrijpende veranderingsprocessen in de bejegening en behandeling van patiënten.

In de korte periode tussen mijn afstuderen en het beginnen in de nieuwe werkkring kreeg ik last van onberedeneerde angsten. Er moest kennelijk weer een horde worden genomen om me in mijn nieuwe maatschappelijke hoedanigheid van academicus te manifesteren. Weer veel praten en toch doorzetten en na de start met mijn nieuwe werk verdwenen de angsten. Sindsdien heb ik onbekommerd gewerkt in diverse functies. Maar herhaalde verzoeken van een directie om de leiding over een deel van een organisatie op me te nemen of een coördinerende functie te vervullen heb ik altijd resoluut afgewezen. Ik achtte me, ondanks mijn capaciteiten of vaardigheden, mentaal daarvoor ongeschikt. Te prominent in het centrum van een menselijke organisatie staan was mij onmogelijk. Ik heb me altijd het beste gevoeld in de kleine groep of in de één op één contacten, zowel in mijn werk bij de universiteit als in het organisatieadvieswerk. Het coachen en superviseren van directies, medewerkers en beleidsfunctionarissen gingen me goed af. Ook het werken met studenten in werkgroepen was inspirerend. Ik ontwikkelde een specialisme op het terrein van sociale en psychische veranderingsprocessen en veranderingsstrategieën.

Meestal had ik meer dan één aanstelling en werkte ik bij meerdere 'bazen' tegelijk. Ik maakte de periode van de studentenonlusten mee en de ontbinding van de vermolmde organisatiestructuur bij de universiteit. Mijn hartinfarct in combinatie met de niet aflatende doorwerking van mijn oorlogservaringen leidden er in 1976 toe dat ik werd afgekeurd voor mijn werk als studentenpsycholoog aan de Universiteit van Utrecht. Ondertussen had ik postdoctoraal mijn bevoegdheid voor het doen van psychotherapie behaald en ik werd opgenomen in het beroepsregister. (Een in 1951 onbereikbaar lijkende droom werd uiteindelijk werkelijkheid).

Eind 1974 werd ik dus getroffen door een licht hartinfarct. In 1984 onderging ik een succesvolle bypassoperatie, waardoor ik weer met meer energie en inzet parttime werkzaamheden kon verrichten. Ik begon, binnen de grenzen van mijn fysieke mogelijkheden en van wettelijke bepalingen – ik was in aanmerking gekomen voor een invaliditeitspensioen – een eigen, bescheiden advies- en psychotherapiepraktijk aan huis. Ik deed met passie jarenlang psychotherapieën, gaf supervisie aan psychologen in opleiding voor psychotherapeut en gaf consult aan teams van medewerkers van instellingen voor geestelijke volksgezondheid en voor justitiële kinderbescherming.

Mijn oorlogsverleden speelde in de latere fasen van mijn werkzame leven in zoverre een positieve rol, dat ik me goed kon inleven in mensen die leden onder het verlies van naasten of onder de gevolgen van geweld, onder hun desolate gevoel van eenzaamheid en dergelijke. Het lukte me daarbij met de vereiste distantie professioneel te functioneren en met mijn cliënten hun pijnlijke waarheden onder ogen te zien. Na mijn zeventigste bouwde ik geleidelijk mijn werkzaamheden af en ging ik volledig met pensioen.

Hoewel ik nooit helemaal ben hersteld van de beschadigingen die mij zijn aangedaan, kwamen we geleidelijk in rustiger vaarwater. Ik kan voortaan bij mezelf te rade gaan als ik onrustig word en ik kan een onderscheid maken tussen mijn ik dat in het heden leeft en mijn niet-aflatende behoefte in mijn ouderlijk huis terug te kunnen keren. Telkens als zich een nieuwe situatie in ons leven voordeed die associaties met het verleden opriep, moest ik die twee werelden opnieuw voor de geest halen en van elkaar scheiden. Al doende trad er veel herstel op en ten slotte kan ik mij met het ouder worden volledig overgeven aan mijn vrouw, kinderen en vrienden en kan ik hen in mijn innerlijk toelaten. Het allerbelangrijkste vind ik dat ik uiteindelijk in staat ben de liefde te voelen die Els, de kinderen, familie en vrienden mij geven, en omgekeerd, dat ik in staat ben jegens hen mijn gevoelens te uiten. Ik zal nooit meer naar mijn ouderlijk huis kunnen teruggaan en daar altijd om blijven rouwen, maar de volwassen mens die ik uiteindelijk geworden ben smaakt de voldoening van een leven in het heden met liefde en respect.

3. De mensen uit mijn eerste twaalf levensjaren die ik niet wil vergeten

Ik voel de sterke behoefte de namen te noemen van al diegenen die voordat zij werden gedeporteerd het leven met mij deelden. Ik was 12 jaar of jonger toen zij uit mijn leven verdwenen om nooit meer terug te keren. De meesten van hen werden bewust door mede-mensen vermoord door hen in een afgesloten ruimte in gas te laten stikken. Het waren mijn ouders, broer en andere familieleden, mensen uit de bakkerij en de winkel, buurvriendjes, schoolvriendjes en -vriendinnetjes, onderwijzers, buren, mensen en winkeliers uit de straat. Met z'n allen vormden zij mijn sociale omgeving. Ik vind het belangrijk dat hun namen worden genoemd, want velen van hen zijn naamloos uit de geschiedenis verdwenen. De jongeren kregen geen enkele kans zich in het leven te manifesteren. Zij zijn allemaal 'weg', zoals we dat in ons naoorlogse jargon noemden. Wij, overlevenden, kenden wat dat betreft nog slechts twee categorieën verwanten en kennissen: zij die 'er nog zijn' en 'zij die weg zijn'.

Hieronder de namen van hen die 'weg zijn':

1   Maurits Blom, vader, 21.9.1894 Amsterdam – 16.7.1943 Sobibor, 48 jaar

2   Rachel Blom-May, moeder, 29.9.1894 Amsterdam – 19.11.1943 Auschwitz, 49 jaar

3   Gerrie (Daniël Gerrit) Blom, broer, 24.5.1922 Amsterdam – 4.6.1943 Sobibor, 21 jaar

4   Gerrit Blom, oom, 19.2.1877 Amsterdam – 7.5.1943 Sobibor, 66 jaar

5   Isaäc Blom, oom, 3.3.1902 Amsterdam – 10.8.1942 Auschwitz, 40 jaar

6   Anna Kollum-Blom, tante, 10.12.1886 Amsterdam – 14.9.1942 Auschwitz, 55 jaar; ik kwam vaak in haar gezin; zij was weduw

7   Carolina Kollum, nicht, 12.11.1909 Amsterdam – 14.9.1942 Auschwitz, 32 jaar

8   Sientje (Elisabeth) Kollum, nicht, 1.5.1911 Amsterdam – 14.9.1942 Auschwitz, 31 jaar

9   Daniël Kollum, neef, 13.8.1917 Amsterdam – 31.3.1943 Seibersdorf, 25 jaar

10 Salomon Leuw, oom, 25.2.1891 Amsterdam – 23.7.1943 Sobibor, 51 jaar; met hem en zijn gezin was vrij veel contact

11 Mina Leuw-Blom, tante, 14.2.1889 Amsterdam – 23.7.1943 Sobibor, 54 jaar

12 Louis Leuw, mijn neef uit eerste huwelijk van oom Salomon, personalia onbekend

13 Daniël Leuw, neef , 31.7.1921 Amsterdam – 15.3.1945 Midden-Europa, 23 jaar

14 Jim (Simon) Leuw, neef, 30.10.1923 Amsterdam – 27.7.1943 Auschwitz(?), 19 jaar

15 Ies (Soesman) May, oom van moederszijde,14.7.1888 Amsterdam – 4.6.1943 Sobibor, 54 jaar

16 Esther May-Blog, tante, vrouw van oom Ies, 31.10.1899 Amsterdam – 13.3.1943 Sobibor, 43 jaar

17 Greet (Margaretha) May, tante, 7.9.1897 Amsterdam – 4.6.1943 Sobibor, 45 jaar

18 Sofietje May-Regnitz, tante, 14.2.1891 Halle – 22.5.1944 Auschwitz, 53 jaar; zij kon mooi pianospelen

19 Meyer Frank, medewerker van de bakkerij, wsch. 7.5.1891 Amsterdam – 4.6.1943 Sobibor, 52 jaar

20 Leo (Levi) Brilleslijper, medewerker van de bakkerij, 13.6.1926 Amsterdam– 31.8.1944 Auschwitz, 18 jaar

21 Ilse Gottlieb, winkeljuffrouw, 28.6.1921 Kassel – 30.9.1942 Auschwitz, 21 jaar; mijn 'vriendin

22 Ernst Gottlieb, broer van Ilse, 15.1.1923 Kassel – 30.9.1942 Auschwitz, 19 jaar; iemand van wie ik veel aandacht kreeg

23 Abraham van de Kar en gezin, de rabbinale opzichter in de bakkerij, 4.10.1895 Amsterdam – 11.6.1943 Sobibor, 47 jaar; in zijn gezin bracht ik na 1940 de Joodse feestdagen door

24 Diny van de Kar, dochter van Abraham en verloofde van neef Andries, 1.4.1914 Amsterdam – 3.12.1942 Auschwitz, 28 jaar

25 Hermann Mayer, medewerker van de bakkerij, 8.11.1903 Stuttgart – 23.7.1943 Sobibor, 39 jaar

26 Leo Piller, medewerker van de bakkerij, 19.9.1921 Nijmegen – 30.9.1942 Auschwitz, 21 jaar

27 Harry Ossedrijver, fietsjongen van de bakkerij, 23.1.1923 Amsterdam – 9.4.1943 Sobibor, 20 jaar

28 Samson Ritmeester en echtgenote, medewerker van de bakkerij, 10.2.1916 Amsterdam – 2.7.1943 Sobibor, 27 jaar

29 Henkie Blits, buurvriendje, 13.2.1929 Amsterdam – 16.7.1943 Sobibor, 14 jaar

30 Robbie (Robert Isaac) van Gelderen, buurvriendje, 27.5.1930 Amsterdam – 6.10.1944 Auschwitz, 14 jaar

31 Mevr. (Rosalie) van Gelderen, moeder van Robbie, 6.9.1897 Amsterdam – 6.10.1944 Auschwitz, 47 jaar

32 Salomon Godschalk, schoolvriendje, 16.1.1930 Amsterdam – 28.5.1943 Sobibor, 13 jaar

33 Selma (Rita Emily) Goudeket, schoolvriendinnetje, vermoedelijk 4.11.1930 Amsterdam – 2.7.1943 Sobibor, 12 jaar

34 Loeki (Salomon) van Lochem, schoolvriendje, 9.10.1930 Amsterdam - 28.5.1943 Sobibor, 12 jaar

35 Sara Morpurgo, schoolvriendinnetje, 20.3.1931 Amsterdam 16.7.1943 Sobibor, 12 jaar

36 Greetje (Martha) Polak, schoolvriendinnetje, 28.7.1932 Amsterdam – 12.2.1943 Auschwitz, 10 jaar

37 Debora Rebecca Vaz Dias, schoolvriendinnetje, 15.2.1931 Amsterdam – 7.7.1944 Auschwitz, 13 jaar; mijn eerste liefde

38 Philip Jozef de Vries, schoolvriendje, 3.6.1931 Amsterdam – 2.7.1943 Sobibor, 12 jaar

39 Isaac Querido, buurvriendje, 17.9.1928 Amsterdam – 23.7.1943 Sobibor, 14 jaar

40 Appie (Izak) Wijnschenk, schoolvriendje, 1.2.1932 Amsterdam – 2.11.1942 Auschwitz, 10 jaar; werd tijdens de les van school opgehaald

41 Meester Montezinos, onderwijzer op de Michiel de Klerkschool, verm. in 1942 Birkenau, 39 jaar

42 Meester Izak Pinto (met vrouw en baby), mijn onderwijzer, 21.10.1906 Amsterdam - 2.7.1943 Sobibor, 36 jaar

43 Jopie de Groot (en vrouw), bovenbuurman,17.9.1887 Amsterdam – 20.03.1943 Sobibor, 55 jaar

44 Ies Mug, huisvriend, 18.10.1905 Amsterdam – 23.4.1943 Sobibor, 37 jaar

45 Rijxman, buurman, verdere gegevens ontbreken

46 Salomons, buurman in wiens woning of halletje ik op 21 en 22.6.1943 bivakkeerde, verdere gegevens ontbreken

47 Mevr. Betsij Stibbe-van Boolen, weduwe, oma van Robbie, 8.4.1870 Londen – 5.2.1943 Auschwitz, 72 jaar

48 Bubi (Martin) van Rooyen, vriend van Gerrie, 24.3.1922 – 17.9.1941 Mauthausen, 19 jaar

49 Max Werkendam, mijn turnleraar van BATO, 28.4.1917 Amsterdam – 31.5.1945 Bergen-Belsen, 28 jaar

50 Mevr. Weiss-Kram, lerares, 31.7.1887 Kolomea (Kolomejcevo in Rusland)– 6.11.1943 Sobibor, 55 jaar; zij gaf mij in de Jekerstraat Joodse les

51 Barend Barend, onze groenteboer, 4.5.1887 te Amsterdam – 31.1.1943 Seibersdorf, 45 jaar

52 Englander, onze bakker van maanzaadgalles; personalia ontbreken verder

53 Grishaver, van onze avondwinkel aan de overkant van de Rijnstraat; verdere personalia ontbreken

54 Jacob Abraham Speelman, onze schoenmaker in de Holendrechtstraat, 24.11.1890 Amsterdam – 28.5.1943 Auschwitz, 52 jaar

55 Van Tijn, onze slager in de Rijnstraat, verdere gegevens ontbreken

56 Johnny and Jones, zangduo dat via Gerrie een belangrijke rol speelde in mijn beginnende tienerjaren

57 Kees Poot, medewerker van de bakkerij, in augustus 1943 gestikt in het puin bij het bombardement op de Fokkerfabrieken in Amsterdam-Noord, ca. 28 jaar; mijn grote 'vriend'

Twee mensen uit mijn omgeving overleefden hun deportatie en het concentratiekamp:
mijn neef Andries Kollum en meneer Van Gelderen, de vader van mijn buurvriendje Robbie.

4. Mijn Joodse identiteit

Moet ik nog wel iets schrijven over mijn Joodse identiteit? Ik denk van wel.

Ik schreef in het eerste hoofdstuk dat voor de oorlog Jood, Joods of Jodendom voor mij lege begrippen waren. In 1940 kwam, zoals ik al schreef, onze banketbakkerij Onder Rabbinaal Toezicht (O.R.T.) en werd de bakkerij keurig in twee delen verdeeld. Ik bracht de Joodse feestdagen, zoals seideravond, door in het grote, kinderrijke gezin van onze rabbinaal opzichter, Van der Kar uit de Retiefstraat. Ik ging als ik bij hem logeerde mee naar de synagoge in de Linnaeusstraat. De Joodse godsdienst of cultuur ging door die bezoeken niet voor mij leven. Ik kon nauwelijks hebreeuws lezen en de bijeenkomsten duurden voor mijn gevoel erg lang. Eén ding springt er echter uit. In de synagoge raakte ik, zo jong als ik was, diep onder de indruk van de gazan, de voorzanger, met zijn schitterende melodieën, die hij, met het gezicht naar de ark gekeerd, in volle overgave zong. Ik hield van zijn liederen, maar niet omdat ze Joods waren. Ik hield van mooie muziek. Zijn overgave maakte zeer grote indruk op me. De Joodse godsdienst speelde echter geen rol in ons gezin, onze familie en in mijn leven. Er werden enkele tradities in stand gehouden zoals de kippensoep op vrijdagavond en dergelijke. Toch stam ik onmiskenbaar uit een Joodse gezin en een Joodse familie, maar zij vormden een omgeving van mensen, die zich grotendeels geassimileerd hadden binnen de Nederlandse samenleving. Ik neem aan dat het besluit ons bedrijf onder rabbinaal toezicht te stellen niet in de eerste plaats door godsdienstige overwegingen werd ingegeven.

Ik werd mij pas innerlijk bewust van mijn Jood-zijn door de antijoodse, antisemitische houding van de Duitsers. Ik was ruim 10 jaar toen de eerste uitingen van de vervolging en het antisemitisme in mijn leven kwamen. Ik raakte zeer onder de indruk van antisemitische posters met Joden als graaiende, volgevreten mannen of duivelse wezens met scherpe klauwen en grote kromme neuzen. Bovendien had ik mijn eigen ondeugden en geheime zonden en dat maakte het negatieve beeld dat ik kreeg opgedrongen nog aannemelijker. Omdat ik Joods ben – zo vatte ik de boodschap op – ben ik een verderfelijk wezen. In 1943, op mijn 12^e jaar betekende mijn Jood-zijn het verlies van mijn ouders, mijn thuis en mijn complete sociale omgeving en een kapotmaken van alles wat met Joden te maken had.

Kortom mijn Joodse identiteit werd voor mij uitermate negatief en kreeg emotioneel gesproken een sterk negatieve lading. Deze situatie leidde ertoe dat ik in de eerste naoorlogse jaren alles wat met Joods of Jodendom te maken had krampachtig afwees. De last van het Jood-zijn was in mijn leven te zwaar geworden.

Het milieu van tante Jet was ongodsdienstig, nog meer dan dat van ons thuis. Bij tante Jet was niemand lid van een Joodse organisatie. Dus van enige correctie in mijn houding was geen sprake.

De stichting van de staat Israël in mei 1948 doorbrak iets van mijn starheid. Het deed me goed dat het beeld dat ik van het Israëlische volk kreeg sterk afweek van wat ik als 'Joods' had leren kennen. In mijn beleving was het bijzonder dat er Joodse soldaten waren, Joodse boeren, Joodse zeelui, piloten enz. Maar Israël was ver weg, ik had er geen banden mee en wilde dat ook niet. Daardoor ebde het positieve beeld weer weg, het was niet opgewassen tegen mijn verstokte, afwijzende houding.

De eerste blijvende barst in mijn negatieve houding ontstond door de lessen van drs. Henri van Praag op de School voor Maatschappelijk Werk. De heer Van Praag was een gedreven lezer en schrijver die ons kennis over de Europese cultuur en haar bronnen moest bijbrengen. Hij was een boeiende docent, een goede orator. In 1952 publiceerde hij een boek met de titel *De boodschap van Israël*. Hiermee bedoelde hij niet de toen vier jaar oude staat Israël, maar het volk van Israël, dat uit de bijbelse tijden stamt en verstrooid raakte over de hele wereld. En toen ontdekte ik tot mijn grote vreugde hoe allerlei mensen met grote namen in onze cultuur, van Joodse afkomst bleken te zijn: Marx, Bergson, Mendelssohn, Gershwin, Albert Einstein, Freud, Arthur Rubinstein, enz. enz.

Reeksen namen op het terrein van wetenschap, filosofie, muziek, wiskunde, politiek. Het boek staat nog altijd in mijn boekenkast. Een andere docent liet ons kennismaken met Martin Buber en zijn *Chassidische Legenden* en milde humane visie. Een man als Buber, warm, mild en toch mannelijk in mijn beleving, deed mij sterk denken aan mijn eigen vader.

Ik kwam er niet onderuit te erkennen dat ik een grote angst had om voor mijn Joodse afkomst uit te komen, maar mijn anti-houding werd minder rigide.

Ik ging inzien dat mijn negatieve houding jegens mijn Joodse medeburgers zwaar overtrokken was, absurd en verkeerd. Ik bleef echter nog steeds wel wat bang me als Jood te manifesteren. Nog weer later verdween ook de angst daarvoor en nu kan ik in alle oprechtheid de grote genegenheid en liefde voelen van onze Joodse vrienden en wil ik mijn Joodse afkomst niet meer ontkennen of verdoezelen. Ik ontdekte op het vlak van waarden en ethiek de betekenis van de vroegere Joodse cultuur en voorzover ik er kennis van nam – en dat is gering - ben ik die zeer gaan waarderen: Wat u niet wilt dat u geschiedt... Heb je naaste lief... Wees rechtvaardig... Heb ontzag voor alles wat leeft... de mooie teksten van het boek Psalmen en het boek Spreuken en Prediker uit het Oude Testament. Mijn waardering geldt ook het werk van veel Joodse schrijvers.

Mijn afstand jegens het godsdienstige Jodendom is echter groot gebleven. Ik voel me thuis in een humanistische denkwereld, zoals ik die al begin jaren vijftig leerde kennen op de School voor Maatschappelijk Werk en bij mijn eerste werkgever Humanitas en zoals die in mijn psychologiestudie tot uiting kwam in een aantal Amerikaanse studieboeken geschreven door voor de Holocaust gevluchte Europese auteurs.

De problemen van de staat Israël en de complexe situatie in het Midden-Oosten raken me diep. Het geweld en het morele verval bij alle betrokken partijen zijn bedroevend. De situatie waarin allen zich bevinden lijkt hopeloos. Ik hoop vurig dat er bij alle betrokken partijen moedige mensen opstaan die op basis van gelijkwaardigheid de dialoog met elkaar aangaan om tot een redelijke, levensvatbare oplossing te komen voor het afschuwelijke leed, het verderf en morele verval waaronder de partijen gebukt gaan en dat hun inspanningen zullen leiden tot een herstel van medemenselijkheid.

In oktober 1944 toen ik de eerste geallieerde patrouille zag, heb ik gezworen: 'Dat nooit meer.' Uiteraard zijn mijn macht en vermogen me aan die gelofte te houden zeer beperkt. Dat neemt echter niet weg dat ik ervoor kan kiezen mij in het directe contact met mijn medemensen fatsoenlijk te gedragen. Daarmee bedoel ik dat ik me niet boven de ander wil plaatsen en voor de ander respect probeer op te brengen. Een dergelijk streven ligt in principe binnen mijn bereik. Hiermee stel ik me geen gemakkelijke opgave, want ik ben immers een mens met al zijn beperkingen en gebreken. Omdat ik van mening ben dat fascisme in eerste instantie zijn bron vindt in de beslotenheid van het gezin en de naaste omgeving daarvan, vind ik het tot op heden erg belangrijk mij in de kleine kring van mijn bestaan aan mijn gekozen levenshouding te houden.

5. De balans opgemaakt

Omdat dit het verhaal is van mijn oorlogservaringen en de schadelijke werking daarvan, ligt de nadruk op de problematische en sombere kanten van mijn leven.

Er vonden gebeurtenissen plaats, die we niet kunnen vatten, die onbegrijpelijk en niet invoelbaar zijn. Waarom moesten mijn ouders en Gerrie dood? Zij die geen mens kwaad deden en nuttige, aimabele burgers waren. En datzelfde geldt voor al die anderen. Niemand heeft ons een antwoord op die vraag kunnen geven, niet mondeling, niet schriftelijk. Die vraag moesten we laten rusten. Ik sloot hem op ergens diep in mezelf, zoals besmet afval in loden vaten wordt afgesloten.

Maar ik bracht ook die andere kant van mijn persoonlijkheid mee, de kant met zijn sociale, gevoelige, betrokken en goedwillende mogelijkheden en last but not least mijn gevoel voor humor. Ook die kant heb ik met Els en de vele anderen in mijn leven kunnen delen. Ik ben niet bij de pakken gaan neerzitten, heb kunnen incasseren, voel me maatschappelijk geslaagd en heb veel kunnen genieten van de leuke en lichtere kanten van het bestaan.

Mede dankzij de inzet, het verstand en de liefde van Els en de liefde, het begrip en het medeleven van mijn kinderen, heb ik de schadelijke invloeden van mijn oorlogsverleden kunnen reduceren.

Els en ik, we zien met voldoening terug op ons leven samen en met de kinderen, schoondochters, kleinkinderen en de vele anderen. We kunnen lachen en plezier hebben. Kortom ik heb geluk gehad in het leven, ondanks alles.

Tot besluit

Het bleek geen eenvoudige opgave dit boek met 'mijn verhaal' te schrijven. Het haalde oud zeer naar boven, maar door er een aantal maanden intensief mee bezig te zijn, bleek het ook een louterende en bevrijdende werking te hebben. Het verhaal staat op papier en dat schept de mogelijkheid afstand te nemen.

Het schrijven van dit boek was echter geen eenmansaangelegenheid. Erik Guns, medewerker van het Herinneringscentrum Kamp Westerbork, gaf mij de aanzet tot publicatie, en hij raadde mij aan contact op te nemen met Uitgeverij Verbum. Mary Lommerse, ex-collega psychotherapeute, en Alex Bakker, historicus en ex-medewerker van het Verzetsmuseum te Amsterdam, volgden mij nauwgezet en intensief bij het schrijven van de verschillende versies van mijn tekst. Zij voorzagen mij van commentaar en boden mij fors tegenspel, die weldadig waren. Het was Gerton van Boom van Uitgeverij Verbum die mij aanspoorde om, behalve over mijn oorlogsverleden, ook een deel te schrijven over de doorwerking van mijn oorlogservaringen.

Ook Erik en Peter, mijn beide zonen, volgden met grote betrokkenheid de totstandkoming van het boek en ook hun aanwijzingen sneden hout.

Zonder de grote betrokkenheid en inzet van Els, haar kritische weging van inhoud, woorden, zinnen, alinea's en hoofdstukken, zou het me niet gelukt zijn het werk te volbrengen.

Van de personen die in het boek voorkomen heb ik hun werkelijke naam gebruikt. Een enkele keer volstond ik met een initiaal. De enige uitzondering betreft 'Amanda' uit mijn middelbareschooltijd, omdat ik niet meer weet hoe zij werkelijk heette.

In de tekst noemde ik enkele auteurs, aan wie ik indertijd veel ontleend heb. Ik noem ze hieronder met de titels van hun betreffende boeken.

Bosch en Duin, 16 oktober 2007

In Memoriam	Het werk waarin de namen van de omgekomen Nederlandse Joden alfabetisch staan genoteerd. SDU Uitgeverij, Den Haag 1995.
Mr. Abel J. Herzberg	*Amor Fati. Zeven opstellen over Bergen-Belsen,* Moussault, Amsterdam 1947
	Tweestroomenland. Dagboek uit Bergen-Belsen, Van Loghum Slaterus, Arnhem 1950
Etty Hillesum	*Het denkende hart van de barak,* de Haan/ Unieboek b.v. Bussum, 3^e druk juni 1982
Yeshayahu Leibowitz	*Het geweten van Israël,* Jeruzalem 1992, Ned. uitgave Arena, Amsterdam 1993
Primo Levi	*Is dit een mens,* Meulenhoff, Amsterdam 1988 (4^e druk)
H. van Praag	*De boodschap van Israël.* *In cultuur – maatschappij - geschiedenis* Het Wereldvenster, Amsterdam 1952
Vercors	*De wapens der duisternis,* A.A.M. Stols, Den Haag 1947

Foto's en documenten

John, vader Maurits en
broer Gerrie, ca. 1935

John, moeder Rachel en
broer Gerrie, ca. 1935

Onderduikadres
inTienray, september
1943, John 12 jaar

Onderduikadres De Gun, nabij Tienray

John 14 jaar

Tante Jet, oom Kees,
en nicht Yonne,
ca. 1936

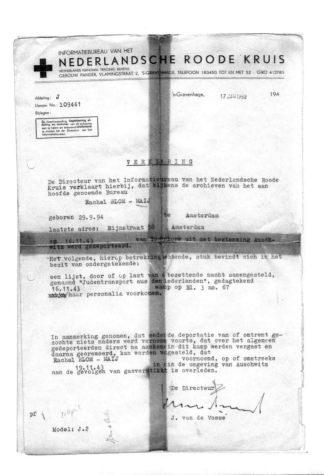

INFORMATIEBUREAU VAN HET
✚ NEDERLANDSCHE ROODE KRUIS
NETHERLANDS NATIONAL TRACING BUREAU
GEBOUW PANDER, VLAMINGSTRAAT 2, 'S-GRAVENHAGE, TELEFOON 183450 TOT EN MET 52 - GIRO 412785

Afdeling: **J**
Dossier No.: 109441
Bijlagen:

Bij beantwoording dagtekening afdeling en nummer van dit schrijven aan te halen en eenvoorduitsluitend te richten tot de Directeur van het Informatiebureau.

's-Gravenhage, 17 JAN 1950   194

V E R K L A R I N G

De Directeur van het Informatiebureau van het Nederlandsche Roode
Kruis verklaart hierbij, dat blijkens de archieven van het aan
hoofde genoemde Bureau

Rachel BLOM - MAIJ

geboren 29.9.94   te   Amsterdam

laatste adres: Rijnstraat 50   Amsterdam

op 16.11.43   van Westerbork uit met bestemming Auschwitz werd gedeporteerd.

Het volgende, hierop betrekking hebbende, stuk bevindt zich in het
bezit van ondergetekende:

een lijst, door of op last van de bezettende macht samengesteld,
genaamd "Judentransport aus den Niederlanden", gedagtekend
16.11.43   waarop op Bl. 3 no. 67
xxxxx haar personalia voorkomen.

In aanmerking genomen, dat sedert de deportatie van of omtrent ge-
zochte niets naders werd vernomen voorts, dat over het algemeen
gedeporteerden direct na aankomst in dit kamp werden vergast en
daarna gecremeerd, kan worden vastgesteld, dat
Rachel BLOM - MAIJ   voornoemd, op of omstreeks
19.11.43   in de omgeving van Auschwitz
aan de gevolgen van gasverstikking is overleden.

De Directeur,

J. van de Vosse

pf

Model: J.2

INSPECTIE DER BELASTINGEN   **A A N S L A G B I L J E T**

te
AMSTERDAM
No.

Erven M. Blom
Biesboschstraat 52

Op grond van het Besluit Zekerheidstelling belastingen en de resolutie van den Minister van
Financiën van 23 Juli 1945, no. 58, (Nederlandsche Staatscourant van 26 Juli 1945,
no. 34), leg ik U de **verplichting** op om binnen twee weken na de dagtekening
van dit aanslagbiljet ten kantore van den Ontvanger der directe belastingen te
AMSTERDAM   (postrekening no.   4892   ), een bedrag van
vierduizend éénhonderd   gulden
(zegge f   4100,-   )
te storten als zekerheidstelling voor bestaande of toekomstige belastingschulden.

AMSTERDAM, den   19 Dec.   1945.

De helft van het te stortea   De Inspecteur,
bedrag moet worden voldaan
uiterlijk op   3 1 JAN 1947
de tweede helft uiterlijk op

2 8 FEB. 1947

Verschillende Stukken no. 93
1945 - 12444 - K 903

Aanslagbiljet
Belastingdienst

113

Kurt May (neef) en
John, 1947

Schoolvrienden, Joost,
Hans en John, 1948

Kleindochter Muriël
Blom, 8 jaar. Impressie
van John's ouderlijk
gezin n.a.v. zijn
oorlogservaringen

Dieter Pohl - *Holocaust*

Massale moord op de Europese joden

Gebonden, 174 blz.
Formaat: 15 x 23 cm
ISBN: 90-808858-1-9
Prijs: € 17,50

Compacte en goed leesbare introductie

Olga Lengyel - *Leven met de dood*

Een vrouw overleeft Birkenau

Holocaust klassieker

Gebonden, 220 blz.
Formaat: 15 x 23 cm
ISBN: 90-808858-5-1
Prijs: € 22,50

Het Auschwitz Album

Reportage van een transport

Uniek historisch document

Redactie: I. Gutman, B. Gutterman
Gebonden, 250 blz.
Formaat: 23 x 23 cm
ISBN: 90-808858-7-8
Prijs: € 24,50

Hanna Hammelburg-de Beer

Ontmoetingen in de hel

Auschwitz - Groß Rosen

Hanna Hammelburg-de Beer
Ontmoetingen in de hel

Auschwitz - Gross Rosen

Gebonden, 50 blz.
Formaat: 15 x 23 cm
ISBN: 90-808858-3-5
Prijs: € 9,50

Intieme en warme
ontmoetingen

Richard Breitman - Heinrich Himmler

De architect van de holocaust

Richard Breitman
Heinrich Himmler
De architect van de holocaust

Biografie

Gebonden, 428 blz.
Formaat: 15 x 23 cm
ISBN: 90-808858-6-x
Prijs: € 29,50

Jaap Polak & Ina Soep
Tussen de barakken...
Liefdesbrieven in Westerbork en Bergen - Belsen

Jaap Polak en Ina Soep
Tussen de barakken...

Liefdesbrieven in Westerbork en Bergen-Belsen

Gebonden, 260 blz.
Formaat: 15 x 23 cm
ISBN: 90-74274-01-3
Prijs: € 22,50

Hoe sterk
liefde kan zijn

Helga Herzberg

Door het oog van de naald

Maastricht - Luik - Mechelen - Auschwitz

Gebonden, 100 blz.
Formaat: 15 x 23 cm
ISBN: 90-74274-00-5
Prijs: € 12,50

Een document voor het nageslacht

David M. Crowe - *Oskar Schindler*

De biografie en het ware verhaal achter de 'Schindlerlijst'

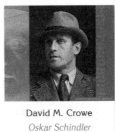

Een baanbrekende biografie

Gebonden, 800 blz.
Formaat: 15 x 23 cm
ISBN: 90-808858-9-4
Prijs: € 49,50

Rob Cohen- *Niet klein gekregen*

Mijn overwinning op de nazi's

Gebonden, 250 blz.
Formaat: 15 x 23 cm
ISBN: 90-742740-5-6
Prijs: € 22,50

Overleven door isolement

Harry Fields
Turbulente tijden
De odyssee van een Joodse vluchteling

Harry Fields - *Turbulente tijden*

De odyssee van een Joodse vluchteling

Gebonden 196 blz.
Formaat: 15 x 23 cm
ISBN: 9789074274074
Prijs: € 22,50

Holocaust Memorial Day - Auschwitz herdenking 2008

Isaac Lipschits - *Onbestelbaar*

Herinneringen in briefvorm aan de Jodenvervolging in Rotterdam

Isaac Lipschits
Onbestelbaar
Herinneringen in briefvorm aan
de Jodenvervolging in Rotterdam

Loods 24

Getuigen van de Holocaust

Sophie Aalders en Rachel Spijer
Wie was Jack Spijer?
Een onbekende gevangene uit Bergen-Belsen

Sophie Aalders en Rachel Spijer
Wie was Jack Spijer?

Een onbekende gevangene

in Bergen-Belsen

Gebonden, 142 blz.
Formaat: 15 x 23 cm
ISBN: 978-90-74274-11-1
Prijs: € 12,50

Dan Kampelmacher
Gevecht om te overleven

Mijn diaspora na de Anschluss

Dan Kampelmacher
Gevecht om te overleven
Mijn diaspora na de Anschluss

Gebonden, 243 blz.
Formaat: 15 x 23 cm
ISBN: 978-90-74274-12-8
Prijs: € 19,50

John Blom
Nooit meer naar huis
Mijn ontsnapping uit de
Hollandsche Schouwburg

John Blom- *Nooit meer naar huis*

Mijn ontsnapping uit de
Hollandsche Schouwburg

Gebonden, 121 blz.
Formaat: 15 x 23 cm
ISBN: 978-90-74274-13-5
Prijs: € 12,50

Pieter Kohnstam
Vlucht naar de vrijheid

Een hachelijk avontuur in bezet Europa

Gebonden, 205 blz.
Formaat: 15 x 23 cm
ISBN: 978-90-74274-17-3
Prijs: € 19,50

Unieke box
met vier titels

Steun Verbum Holocaust Bibliotheek en bestel deze box voor € 42,50. De boeken van Spijer en Blom zijn los te verkrijgen voor € 12,50 per stuk.
De boeken van Kohnstam en Kampelmacher kosten € 19,50 per stuk. Uw voordeel bedraagt € 21,50.

U kunt ook bestellen via
www.verbum.nl.
Geen verzendkosten.